Conversando com Deus

Conversando com Deus

O FINAL DE UM DIÁLOGO INCOMUM TRAZ LIÇÕES ESSENCIAIS PARA QUEM BUSCA A ELEVAÇÃO ESPIRITUAL

Livro III

Neale Donald Walsch

TRADUÇÃO DE
Clara Fernandes

AGIR

Do original
Conversations with God — Book 3

Publicado mediante acordo com Hampton Roads
Publishing Co. Inc., Charlottesville, Virginia, EUA

Capa
Douglas Lucas

Foto da capa
AVGT

Copidesque
Marco Antônio Afonso

Revisão
Taís Facina
Argemiro de Figueiredo

Produção editorial
Paulo Cesar Veiga

CIP-Brasil. Catalogação-na-fonte. Sindicato Nacional dos Editores de Livros, RJ.

W19c
v.3

Walsch, Neale Donald
Conversando com Deus, livro III: o final de um diálogo incomum traz lições essenciais para quem busca a elevação espiritual / Neale Donald Walsch; tradução de Clara Fernandes. — Rio de Janeiro: Agir, 2009.

Tradução de: Conversations with God, book III
ISBN 978-85-220-1372-2

1. Deus. 2. Vida espiritual. 3. Diálogos imaginários. I. Título.

CDD: 291.4
CDU: 2-41

08-4184

Agir Editora Ltda. — Uma empresa do Grupo Ediouro Publicações Ltda.
Rua Nova Jerusalém, 345 — CEP 21042-235 — Bonsucesso — Rio de Janeiro — RJ
Tel.: (21) 3882-8200 — Fax: (21) 3882-8212/8313

Para

NANCY FLEMING-WALSCH

Minha melhor amiga, querida companheira,
amante apaixonada e mulher maravilhosa,
que me proporcionou e ensinou
mais do que qualquer ser humano
na terra.

Você foi a realização
do meu sonho mais elevado.
Fez minha alma cantar novamente.
Mostrou-me o amor na forma de milagre.
E me reintegrou a mim mesmo.

Eu humildemente lhe dedico este livro,
minha grande mestra.

Agradecimentos

Como sempre, quero agradecer em primeiro lugar a meu melhor amigo, Deus. Espero que um dia todos possam ser amigos Dele.

Em segundo, agradeço à minha maravilhosa parceira na vida, Nancy, a quem dedico este livro. Quando penso nela, minhas palavras de gratidão parecem pequenas diante de seus atos, e sinto que não sou capaz de encontrar um modo de dizer o quanto ela é maravilhosa. Sei disso muito bem. Meu trabalho não teria sido possível sem ela.

Em terceiro, quero agradecer a Robert S. Friedman, editor da Hampton Roads Publishing Company, por sua coragem em publicar este material pela primeira vez, em 1995, e todos os volumes da trilogia *CCD*. Sua decisão de aceitar um manuscrito rejeitado por quatro outros editores mudou as vidas de milhões de pessoas.

E, ao publicar este último livro da trilogia, não quero deixar passar a oportunidade de agradecer a extraordinária contribuição de Jonathan Friedman, cuja clareza de visão, determinação, profunda compreensão espiritual, fonte inesgotável de entusiasmo e enorme criatividade são em grande parte o motivo pelo qual *Conversando com Deus* chegou às prateleiras, quando e como o fez. Foi ele que reconheceu a grandeza e importância dessa mensagem, prevendo que seria lida por milhões de pessoas e se tornaria um clássico da literatura espiritual. Foi sua determinação que criou o momento oportuno e o projeto de *CCD*, e sua firme dedicação que contribuiu muito para a eficiência de sua distribuição inicial. Todos os apreciadores de *CCD*, assim como eu, devem-lhe isso.

Também quero agradecer a Matthew Friedman, por seu trabalho incansável neste projeto desde o início. O valor de seus esforços co-criativos no projeto e na produção não poderia ter sido maior.

Finalmente, quero agradecer a alguns dos autores e mestres cujo trabalho mudou muito o panorama filosófico e espiritual da América e do mundo, e que me inspiram diariamente com seu compromisso de contar uma verdade maior, apesar das pressões e complicações pessoais que essa decisão acarreta.

A Joan Borysenko, Deepak Chopra, Dr. Larry Dossey, Dr. Wayne Dyer, Dra. Elisabeth Kübler-Ross, Barbara Marx Hubbard, Stephen Levine, Dr. Raymond Moody, James Redfield, Dr. Bernie Siegel, Dr. Brian Weiss, Marianne Williamson e Gary Zukav — que conheci pessoalmente, respeito, aprecio e admiro muito — agradeço em nome dos meus leitores.

Esses são alguns dos nossos guias modernos, pioneiros e, se eu pude fazer uma jornada pessoal como um anunciador da verdade eterna, foi porque eles, e outros como eles que não conheci, tornaram isso possível. O trabalho de suas vidas é um testemunho do brilho extraordinário da luz de todas as nossas almas. Eles *demonstraram* as coisas das quais apenas falei.

Introdução

Este é um livro extraordinário. Digo isso como alguém que teve muito pouca participação no ato de escrevê-lo. Tudo que realmente fiz foi "aparecer", fazer algumas perguntas e depois transcrever.

Isso é tudo que tenho feito desde 1992, quando esta conversa com Deus começou. Foi esse o ano em que, profundamente deprimido, perguntei angustiado: por que a minha vida não dava certo? E o que eu tinha feito para merecer uma vida tão difícil?

Eu escrevi essas perguntas em um bloco amarelo de papel almaço, em uma carta irritada para Deus. Para meu choque e minha surpresa, Ele respondeu. A resposta veio na forma de palavras sussurradas em minha mente por uma Voz Silenciosa. Tive sorte de tê-las anotado.

Faço isso há mais de seis anos. E desde que me foi dito que este diálogo algum dia se tornaria um livro, enviei parte do manuscrito a um editor, no final de 1994. Sete meses depois, estava nas livrarias. Esse livro permaneceu na lista de best-sellers do *New York Times* durante 91 semanas.

A segunda parte do diálogo também se tornou um best-seller, constando da lista do *Times* durante várias semanas. E agora eis aqui o terceiro e último volume dessa extraordinária conversa.

Este livro precisou de quatro anos para ser escrito. Não surgiu facilmente. Os períodos de ausência de inspiração eram enormes, muitas vezes de seis meses. As palavras do primeiro livro me foram ditadas durante um ano. O segundo livro foi produzido em um pouco mais do que esse tempo. Mas esta parte final teve de ser escrita quando eu despertava a atenção pública. Desde 1996, em todos os lugares em que estive, tudo que ouvia era: "Quando vai sair o Livro III?", "Onde está o Livro III?" "Quando podemos esperar o Livro III?"

Você pode imaginar o que isso fez comigo, e o impacto que teve no processo de terminá-lo. Era como se eu estivesse fazendo amor num estádio de futebol.

Na verdade, isso teria me dado mais privacidade. Enquanto o Livro III era escrito, todas as vezes em que eu pegava uma caneta achava que havia cinco milhões de pessoas me observando, esperando cada palavra.

Não digo isso para valorizar o fato de tê-lo terminado, mas apenas para explicar por que demorei tanto tempo para escrevê-lo. Nos últimos anos meus momentos de solidão mental, espiritual e física foram muito poucos.

Eu comecei este livro na primavera de 1994, e toda a narrativa inicial foi escrita nesse período. Depois, houve lacunas de muitos meses, que chegaram a um ano inteiro, e finalmente culminaram nos capítulos finais, escritos na primavera e no verão de 1998.

De uma coisa você pode estar certo: este livro não foi de modo algum uma coisa forçada. A inspiração vinha naturalmente, ou eu apenas colocava a caneta de lado e me recusava a escrever — certa vez durante mais de 14 meses. Eu preferia não escrever livro algum a *ter* de escrevê-lo porque *disse* que o faria. Embora isso tivesse deixado meu editor um pouco nervoso, fez-me confiar no resultado, não importa o tempo que eu demorasse para obtê-lo. Agora eu o apresento, confiantemente, para você. Este livro resume os ensinamentos contidos nos dois primeiros volumes desta trilogia. Leva-os adiante até sua conclusão lógica e emocionante.

Se você leu o Prefácio de um dos dois primeiros volumes, sabe que em ambos os casos eu estava um pouco apreensivo. Na verdade, com muito medo da reação que poderiam provocar. Não estou com medo agora. Não tenho medo algum em relação ao Livro III. Sei que comoverá muitos leitores com seu *insight* e sua verdade, seu calor humano e amor.

Eu acredito que este é um material sagrado. Agora percebo que isso é verdadeiro em relação a toda a trilogia, e que esses livros serão lidos e estudados durante décadas, até mesmo gerações. Talvez durante séculos. Porque, juntos, tratam de uma grande variedade de temas, desde como formar relacionamentos de trabalho à natureza da realidade máxima e à cronologia do Universo. Incluem observações sobre a vida e a morte, o romance, o casamento, o sexo, a paternidade, a saúde e a educação, a economia, a política, a espiritualidade e a religião, a vida profissional e a subsistência, a física, o tempo, os costumes sociais, o processo de criação, nosso relacionamento com Deus, a ecologia, o crime e a punição, a vida em sociedades muito desenvolvidas do cosmos, o certo e o errado, os mitos culturais e a ética cultural, a alma, os parceiros da alma, a natureza do verdadeiro amor e o caminho para a expressão gloriosa da parte de nós mesmos que sabe que a Divindade é nossa herança natural.

Eu rezo para que você se beneficie com esta obra.

Que Deus o abençoe.

Neale Donald Walsch
Ashland, Oregon
Setembro de 1998

Capítulo 1

É domingo de Páscoa de 1994 e — conforme as instruções que recebi — estou esperando por Deus. Ele prometeu aparecer, como fez nas duas Páscoas passadas, para começar outra conversa de um ano de duração. A terceira e última — por enquanto.

Esse processo — essa comunicação extraordinária — começou em 1992 e terminará na Páscoa de 1995. Três anos, três livros. O primeiro tratou principalmente de temas pessoais — relacionamentos românticos, a descoberta do trabalho certo, as energias poderosas do dinheiro, do amor, do sexo e de Deus; e como integrá-las ao nosso cotidiano. O segundo expandiu esses temas, fazendo ainda considerações geopolíticas importantes — sobre a natureza dos governos, a criação de um mundo sem guerra, a base para uma sociedade internacional unificada. Esta terceira e última parte da trilogia se concentrará nas maiores dúvidas que o homem enfrenta. Em conceitos relacionados com outras esferas e dimensões e em como toda a trama se encaixa.

A seqüência foi:

Verdades Individuais
Verdades Globais
Verdades Universais

Como ocorreu com os dois primeiros manuscritos, não tenho a mínima idéia de aonde este vai me levar. O processo é simples.

Eu escrevo uma pergunta — e vejo que pensamentos surgem em minha mente. Se não houver coisa alguma lá, se nenhuma palavra me for ditada, espero até outro dia. No caso do primeiro livro, todo o processo demorou cerca de um ano, e do segundo, mais de um ano. (Aquele livro ainda estava passando por esse processo quando este começou.)

Eu espero que este seja o livro mais importante de todos.

Pela primeira vez, desde o início deste processo, estou me sentindo muito inibido em relação a ele. Dois meses se passaram desde que escrevi aqueles primeiros quatro ou cinco parágrafos. Dois meses desde a Páscoa, e nada surgiu — além da inibição.

Passei várias semanas revendo e corrigindo erros na composição tipográfica do manuscrito do primeiro livro desta trilogia — e somente esta semana recebi a versão final corrigida do Livro I, apenas para enviá-la de volta para a composição, com 43 erros para corrigir. O segundo livro, ainda em forma manuscrita, só foi terminado na semana passada — com dois meses de atraso. (Deveria estar pronto até a Páscoa de 1994.) Este, começado no domingo de Páscoa, apesar do Livro II ainda não estar terminado, ficou parado na pasta e, agora que o Livro II está pronto, clama por atenção.

Contudo, pela primeira vez desde 1992, quando tudo começou, pareço estar resistindo a este processo, quase me ressentindo dele. Estou me sentindo obrigado a realizar esta tarefa e nunca gostei de fazer algo que *tenho* de fazer. Além disso, tendo distribuído para algumas pessoas cópias incorretas do primeiro manuscrito e ouvido suas reações a ele, estou agora convencido de que todos os três livros serão amplamente lidos, examinados e analisados em busca de importância teológica, e muito debatidos durante muitos anos.

Tudo isso tornou muito difícil chegar a esta página; considerar esta caneta minha amiga — porque embora eu saiba que este material deve ser produzido, estou me expondo aos piores ataques, ao ridículo e talvez até mesmo à raiva de muitas pessoas por ousar passar adiante estas informações — e ainda mais por ousar anunciar que me foram dadas diretamente por Deus.

Acho que o meu maior medo é de me revelar um "porta-voz" inadequado para Deus, dada a série aparentemente interminável de erros e más ações que marcaram minha vida e caracterizaram meu comportamento.

Aqueles que conhecem o meu passado — inclusive minhas ex-esposas e meus filhos — teriam todo o direito de contestar estes escritos, baseados em meu mau desempenho como ser humano nas funções simples e rudimentares de marido e pai. Eu me saí muito mal nelas e em outros aspectos da vida relacionados com a amizade e integridade, o trabalho e a responsabilidade.

Em resumo, tenho plena consciência de que não sou digno de me apresentar como um homem de Deus ou mensageiro da verdade. Deveria ser a última pessoa a representar esse papel, ou até mesmo a ter a pretensão de representá-lo. Não faço justiça à verdade presumindo dizê-la, quando toda a minha vida foi um testemunho de minhas fraquezas.

Por esses motivos, Deus, eu Lhe peço que me desobrigue de ser Seu escrevente e que encontre alguém cuja vida seja digna de tal honra.

Eu gostaria de terminar o que começamos aqui — apesar de você não estar obrigado a fazer isso. Não tem "deveres" para Comigo ou qualquer outra pessoa, embora Eu perceba que sua idéia de que os tem o levou a se sentir muito culpado.

Eu decepcionei pessoas, inclusive meus próprios filhos.

Tudo que aconteceu em sua vida aconteceu de modo perfeito para você e todas as almas envolvidas com você crescerem exatamente do modo que precisavam e queriam crescer.

Essa é a “desculpa” perfeita criada por todos na Nova Era que desejam fugir da responsabilidade por seus atos e evitar resultados desagradáveis.

Eu sinto que fui egoísta — incrivelmente egoísta — na maior parte da minha vida, fazendo o que me agradava sem me preocupar com o impacto que isso causaria nas outras pessoas.

Não há nada de errado em fazer o que o agrada...

Mas tantas pessoas foram magoadas, decepcionadas...

Há apenas a questão do que o agrada mais. Você parece estar dizendo que agora o que o agrada mais são comportamentos que não prejudicam muito, ou de modo algum, as outras pessoas.

O Senhor está sendo muito benevolente.

De propósito. Você deve aprender a ser gentil consigo mesmo. E parar de se julgar.

Isso é difícil — principalmente quando as outras pessoas estão tão dispostas a julgar. Acho que vou representar um obstáculo para o Senhor, para a verdade; que se eu insistir em completar e publicar esta trilogia, serei um emissário tão ruim para a Sua mensagem que irão descrer dela.

Não se pode descrer da verdade. A verdade é a verdade, e não pode ser provada ou refutada. Simplesmente é.

A maravilha e beleza da Minha mensagem não pode ser afetada — e não o será — pelo que as pessoas pensam de você.

De fato, você é um dos melhores emissários, porque viveu de um modo que considera longe do perfeito.

As pessoas poderão se comparar a você — mesmo enquanto o julgam. E se perceberem que está sendo realmente sincero, poderão perdoá-lo por seu "passado sórdido".

Contudo, Eu lhe digo que enquanto se preocupar com o que os outros pensam de você, eles serão seus donos.

Somente quando não precisar de aprovação externa poderá ser dono de si mesmo.

Minha preocupação era mais com a mensagem do que comigo. Estava preocupado com a possibilidade de ser maculada.

Se você está preocupado com a mensagem, transmita-a. Não se preocupe em maculá-la. A mensagem falará por si mesma.

Lembre-se do que Eu lhe ensinei. O importante não é o quanto uma mensagem é bem-recebida, mas o quanto é bem-enviada.

Também lembre-se de que você ensina o que tem de aprender.

Não é necessário ser mestre para falar de mestria.

Não é necessário ter atingido o nível de evolução mais elevado para falar do nível de evolução mais elevado.

Tente apenas ser autêntico. Sincero. Se deseja reparar todo o "mal" que imagina que causou, demonstre-o com seus atos. Faça o que pode fazer. E então fique tranqüilo.

Isso é mais fácil de dizer do que fazer. Às vezes eu me sinto muito culpado.

A culpa e o medo são os únicos inimigos do homem.

A culpa é importante. Ela nos diz quando fizemos algo errado.

Não existe o "errado". Só existe o que não lhe serve; não falar a verdade sobre Quem Você É, e Quem Escolhe Ser.

A culpa é o sentimento que o prende a quem você não é.

Mas a culpa é o sentimento que nos faz perceber que nos enganamos.

Você está falando sobre consciência, não culpa.

Eu lhe digo que a culpa é uma praga que assola a terra — o veneno que mata a planta.

Você não crescerá através da culpa, apenas definhará e morrerá.

O que busca é a consciência. Mas consciência não é culpa, e amor não é medo.

Eu repito que o medo e a culpa são seus únicos inimigos. O amor e a consciência são seus verdadeiros amigos. Porém, não os confunda, porque seus inimigos o matarão, enquanto seus amigos lhe dão a vida.

Então eu não deveria me sentir "culpado" em relação a coisa alguma?

Não, nunca. O que há de bom nisso? Só lhe permite não amar a si mesmo — e isso lhe tira todas as chances de amar outra pessoa.

E eu não deveria ter medo de nada?

O medo e a cautela são duas coisas diferentes. Seja cauteloso — consciente — mas não medroso. Porque o medo apenas paralisa, enquanto a consciência mobiliza.

Seja mobilizado, não paralisado.

Eu sempre aprendi a temer a Deus.

Eu sei. E desde então ficou paralisado em seu relacionamento Comigo.

Foi apenas quando parou de Me temer que pôde formar algum tipo de relacionamento significativo Comigo.

Se Eu pudesse lhe conceder uma dádiva, uma graça especial, que lhe permitiria Me encontrar, seria ser destemido.

Benditos sejam os destemidos, porque conhecerão a Deus.

Isso significa que você deve ser bastante destemido para rejeitar o que acha que sabe sobre Deus.

Para rejeitar o que as outras pessoas lhe disseram sobre Deus.

Para ousar aceitar sua própria experiência *de Deus.*

E então não deverá se sentir culpado por causa disso. Quando sua própria experiência vai contra o que você achava que sabia, e o que as outras pessoas lhe disseram sobre Mim, não deve se sentir culpado.

O medo e a culpa são os únicos inimigos do homem.

Mas há aqueles que dizem que fazer o que o Senhor sugere é compactuar com o demônio; que somente o demônio sugeriria uma coisa dessas.

O demônio não existe.

Essa é outra coisa que o demônio diria.

O demônio diria tudo que Deus diz?

Sim, mas de um modo mais engenhoso.

O demônio é mais engenhoso que Eu?

Digamos que mais astuto.

Então o demônio repetiria as Minhas palavras?

Com apenas uma ligeira "distorção" — o suficiente para tirar alguém do bom caminho.

Acho que temos de falar um pouco mais sobre o "demônio".

Bem, falamos muito sobre ele no Livro I.

Pelo visto, não foi o suficiente. Além disso, pode haver aqueles que não leram o Livro I. Ou o Livro II. Portanto, acho que um bom ponto de partida seria resumir algumas das verdades contidas nesses livros. Isso preparará o terreno para as verdades mais amplas e universais contidas neste terceiro livro. E também voltaremos a falar sobre o demônio. Quero que você saiba como, e por que, essa entidade foi "inventada".

Está bem. O Senhor venceu. Já começamos por este diálogo, por isso aparentemente vamos continuar. Mas há uma coisa que as pessoas devem saber, enquanto temos esta conversa: *meio* ano se passou desde que escrevi as primeiras palavras apresentadas aqui. Hoje é dia 25 de novembro de 1994 — o dia depois do Dia de Ação de Graças. Foram necessárias 25 semanas para chegarmos a este ponto; passaram-se 25 semanas entre Suas últimas palavras acima e minhas palavras neste parágrafo. Muitas coisas aconteceram nessas 25 semanas. Uma delas foi que este livro não avançou um centímetro. *Por que isto está demorando tanto?*

Está vendo como você pode se bloquear? Como pode se sabotar? Como pode parar quando está fazendo algo de bom? Fez isso a sua vida inteira.

Ei, espere um minuto! Eu *não* sou o único que está adiando este projeto. Não posso fazer *coisa alguma* — escrever uma única palavra — a menos que me sinta... odeio usar essa palavra, mas acho que tenho de me sentir... *inspirado* para pegar este bloco amarelo de papel almaço e continuar. E inspiração é o *Seu* departamento, não o meu!

Entendo. Então acha que Eu estou adiando o projeto, não você.

Mais ou menos isso.

Meu caro amigo, isso é típico de você — e de outros seres humanos. Você fica parado durante meio ano, não faz coisa alguma para o seu próprio benefício, na verdade o evita e depois culpa outra pessoa ou algo por não chegar a parte alguma. Vê um padrão aqui?

Bem...

Eu lhe digo que nunca existirá um tempo em que não estarei com você; um momento em que não estarei "a postos".

Já lhe disse isso antes?

Sim, mas...

Eu estarei sempre com você, até o final dos tempos.

Contudo, jamais lhe imporei a Minha vontade.

Eu escolho o melhor para você, mas, acima disso, escolho sua vontade para você. E essa é a medida mais certa do amor.

Quando Eu desejo para você o que você *deseja para você, realmente o amo. Quando desejo para você o que* Eu *desejo para você, estou amando a Mim,* através *de você.*

Pela mesma medida, você também pode determinar se os outros o amam, e se realmente os ama. Porque o amor não escolhe coisa alguma para si mesmo, apenas procura tornar possíveis as escolhas do ser amado.

Isso parece contradizer diretamente o que o Senhor disse no Livro I sobre o amor não dizer respeito ao que o outro está sendo, fazendo e tendo, mas apenas ao que o *Eu* está sendo, fazendo e tendo.

Também levanta outras questões como... e quanto à mãe que grita para a criança: "Saia da rua!"? Ou, melhor ainda, arrisca sua própria vida no trânsito e a tira do meio dos carros? E quanto a essa mãe? Não está amando seu filho? Entretanto, impôs sua própria vontade a ele. Lembre-se de que a criança estava na rua porque *desejou estar.*

Como o Senhor explica essa contradição?

Não há uma contradição. Mas você não consegue perceber a harmonia. E só compreenderá essa doutrina divina sobre o amor quando compreender que Minha escolha mais elevada para Mim é igual à sua escolha mais elevada para você. E isso ocorre porque você e Eu somos um só.

Veja bem, a Doutrina Divina também é uma Dicotomia Divina, porque a própria vida é uma dicotomia — uma experiência na qual duas verdades aparentemente contraditórias podem existir nos mesmos espaço e tempo.

Nesse caso, as verdades aparentemente contraditórias são que você e Eu somos separados, e um só. A mesma aparente contradição surge no relacionamento entre você e todas as outras pessoas.

Eu repito o que disse naquele livro: a escolha mais elevada para o Eu se torna a escolha mais elevada para a outra pessoa quando o Eu percebe que não há mais ninguém.

Portanto, o erro não é escolher *o que é melhor para você, é não* saber *o que é melhor. Isso se origina de agora saber Quem Você Realmente É, muito menos do que de quem está tentando ser.*

Eu não compreendo.

Bem, vou lhe dar um exemplo. Se você está tentando vencer as 500 milhas de Indianápolis, dirigir a 250 quilômetros por hora poderia ser o que é melhor para você. Se está tentando chegar em segurança ao armazém, poderia não ser.

O Senhor está dizendo que tudo é relativo.

Sim. Toda a vida *é relativa. O que é "melhor" depende de quem você é, e quem tenta ser. Você não pode escolher inteligentemente o que é melhor para você se não decidir inteligentemente quem e o que você é.*

Agora Eu, como Deus, sei *o que estou tentando ser. Portanto, sei o que é "melhor" para Mim.*

E o que é? Diga-me, o que é "melhor" para o Senhor? Isso deve ser interessante...

O que é melhor para Mim é dar-lhe o que você decide que é melhor para você. *Porque Eu estou tentando ser Meu Eu expressado. E o estou sendo* através de você.

Está entendendo isso?

Sim; acredite ou não, estou.

Ótimo. Agora Eu lhe direi algo em que pode achar difícil acreditar.

Eu estou sempre lhe dando o que é melhor para você... embora admita que nem sempre sabe disso.

Esse mistério é um pouco esclarecido agora que você começou a compreender do que sou capaz.

Eu sou Deus.

Eu sou a Deusa.

Eu sou o Ser Supremo. A Totalidade de Tudo. O Início e o Fim. O Alfa e o Ômega.

Eu sou a Essência. A Pergunta e a Resposta. O Alto e o Baixo. A Esquerda e a Direita, o Aqui e o Agora, o Antes e o Depois.

Eu sou a Luz e a Escuridão que cria a Luz e a torna possível. Sou a Deusa Sem Fim, e a "Maldade" que torna a "Bondade" boa. Sou todas essas coisas — a Totalidade de tudo — e não posso experimentar nenhuma parte do Meu Eu sem experimentar Todo o Meu Eu.

É isso que você não compreende sobre Mim. Quer me tornar uma coisa e não a outra. O alto e não o baixo. O bem e não o mal. Contudo, negando metade de Mim, você nega seu próprio Eu. E fazendo isso, nunca poderá ser Quem Realmente É.

Eu sou a Totalidade Magnífica — e o que estou tentando é Me conhecer experimentalmente. Estou fazendo isso através de você, e de tudo que existe. E estou experimentando Meu Eu como magnífico através das escolhas que faço. Porque toda escolha é criadora do eu.

Toda escolha é definitiva. Toda escolha Me representa — isto é, Me representa como Quem Eu Escolho Ser Agora.

No entanto, só posso escolher ser magnífico se existirem outras escolhas. *Uma parte de Mim tem de ser menos magnífica para Eu escolher a parte de Mim que é magnífica.*

Isso também ocorre com você.

Eu sou Deus, no ato de criar o Meu Eu.

Isso também ocorre com você.

É o que sua alma deseja fazer. É pelo o que seu espírito anseia.

Se Eu o impedisse de ter aquilo que escolhe, estaria impedindo Meu Eu de ter o que Eu escolho. Porque Meu maior desejo é experimentar-Me como O Que Sou. E, como expliquei detalhadamente no Livro I, só posso fazer isso na área Do Que Não Sou.

Eu criei cuidadosamente O Que Não Sou, para poder experimentar O Que Sou.

Como alguém pode ser o que não é?

É fácil. Você faz isso o tempo todo. Apenas observe seus comportamentos.

Tente compreender que não há nada *que Eu não seja. Logo, Eu Sou O Que Sou, e O Que Não Sou.*

ESSA É A DICOTOMIA DIVINA.

Esse é o Mistério Divino que, até agora, apenas as mentes mais elevadas puderam compreender. Eu lhe revelei isso de um modo que um número maior de pessoas possa compreender.

Essa foi a mensagem do Livro I, e você deve compreender — conhecer profundamente — essa verdade básica para compreender e conhecer as verdades ainda mais sublimes que serão apresentadas aqui, no Livro III.

Mas agora deixe-Me revelar uma delas — porque está contida na resposta para a segunda parte da sua pergunta.

Eu estava mesmo querendo que voltássemos a essa parte da minha pergunta. Como a mãe ama a criança se diz ou faz o que é melhor para ela, mesmo se para isso tem de *ir contra a vontade da criança*? Ou demonstra o mais verdadeiro amor deixando-a brincar no meio da rua?

Essa é uma ótima pergunta. E é a que todas as pessoas fazem, de uma forma ou de outra, quando têm filhos. A resposta para você como pai é a mesma que para Mim como Deus.

Então *qual é?*

Paciência, Meu filho, paciência. "Quem espera sempre alcança." Já ouviu isso?

Sim, meu pai costumava dizer essa frase e eu a odiava.

Eu entendo. Mas realmente tenha paciência com seu Eu, principalmente se suas escolhas não estiverem lhe proporcionando o que você acha que deseja. Como, por exemplo, a resposta para a segunda parte da sua pergunta.

Você diz que quer uma resposta, mas não a está escolhendo. Sabe disso, porque não experimenta tê-la. Na verdade, você a tem e teve o tempo todo. Simplesmente não a está escolhendo. Está escolhendo acreditar que não sabe qual é a resposta — e por esse motivo não sabe.

Sim, o Senhor também já falou sobre isso no Livro I. Eu tenho tudo que escolho ter agora — inclusive uma compreensão total de Deus — contudo, só *experimentarei* que tenho quando *souber* que tenho.

Exatamente! Você se expressou com perfeição.

Mas como eu posso *saber* que tenho antes de *experimentar* que tenho? Como posso conhecer algo que não experimentei? Não houve um grande homem que disse: "Todo conhecimento é experiência?"

Ele estava errado.
O conhecimento não segue a experiência — precede-a.
Meio mundo pensa o contrário.

Então o Senhor quer dizer que eu tenho a resposta para a segunda parte da minha pergunta, só que não *sei* disso?

Sim.

Mas se eu não *sei* que tenho, então *não tenho.*

Esse é o paradoxo.

Eu não entendi ... a menos que tenha entendido.

De fato.

Então como posso sair desse ponto de "saber que eu sei" algo se não "souber que eu sei"?

"Saber que você sabe é como se soubesse."

O Senhor também falou algo sobre isso no Livro I.

Sim. Um bom ponto de partida aqui seria lembrar do que já aprendeu. E "por acaso" você está fazendo as perguntas certas, permitindo-Me resumir no início deste livro as coisas que já discutimos em alguns detalhes.

No Livro I, falamos sobre o paradigma Ser-Fazer-Ter, e como a maioria das pessoas o inverte.

Quase todas elas acham que se "têm" uma coisa (mais tempo, dinheiro, amor etc.), podem finalmente "fazer" outra (escrever um livro, ter um passatempo, tirar férias, comprar uma casa, ter um relacionamento), o que lhes permitirá "ser" algo (felizes, tranqüilas, alegres ou apaixonadas).

Na verdade, estão invertendo o paradigma Ser-Fazer-Ter. No Universo o que realmente ocorre (ao contrário do que pensam) é que o "ato de ter" não produz o "ato de ser", mas o "ato de ser" produz o "ato de ter".

Primeiro você "é" o que chama de "feliz" (ou "inteligente", "sábio", "compassivo", ou seja lá o que for), depois começa a "fazer" coisas de acordo com esse modo de ser — e logo descobre que aquilo que está fazendo lhe proporciona as coisas que sempre desejou "ter".

A forma de iniciar esse processo criativo (e é isso que é... o processo de criação) é pensar no que você deseja "ter", perguntar-se o que acha que "seria" se o "tivesse" e começar imediatamente a sê-lo.

Assim, você inverte o modo pelo qual tem usado o paradigma Ser-Fazer-Ter — na verdade, começa a usá-lo do modo correto — e aumenta, não diminui, o poder criativo do Universo.

Eis uma forma resumida de explicar esse princípio:

Na vida, você não tem de fazer coisa alguma.

Tudo é uma questão do que você está sendo.

Essa é uma das três mensagens sobre as quais falarei de novo no final do nosso diálogo. Terminarei o livro com ela.

Por enquanto, e para ilustrar isso, pense em uma pessoa que sabe que se tivesse um pouco mais de tempo, dinheiro ou amor seria realmente feliz.

Ela não percebe a ligação entre "não ser muito feliz" agora e não ter o tempo, o dinheiro ou o amor que deseja.

Certo. Por outro lado, a pessoa que está "sendo" feliz parece ter tempo para fazer tudo o que é realmente importante, todo o dinheiro de que precisa e amor suficiente para durar uma vida inteira.

Ela descobre que tem tudo para "ser feliz"... "sendo feliz"!

Exatamente. Decidir antecipadamente *o que você escolhe ser* o produz em sua experiência.

"Ser ou não ser. Essa é a questão."

Exatamente. *A felicidade é um estado mental. E como todos os estados mentais se reproduz na forma física.*

Há uma frase em um ímã de geladeira que diz:

"Todos os estados mentais se reproduzem."

Mas como você pode "ser" feliz, ou *qualquer coisa* que está tentando ser — como, por exemplo, mais próspero, ou mais amado — se não está tendo o que acha que precisa para "ser" isso?

Aja como se fosse e o será.

Quando você age como se fosse o que quer ser, torna-se o que quer ser.

Em outras palavras, "finja que é até conseguir ser".

Sim, é mais ou menos isso. Só que você não pode realmente "fingir". Suas ações têm de ser sinceras.

Seja sincero em todas as suas ações, caso contrário não se beneficiará com elas.

Mas não é porque se não fizer isso Eu não irei "recompensá-lo". Como sabe, Deus não "recompensa" ou "pune". Mas a Lei Natural exige que o corpo, a mente e o espírito estejam unidos no pensamento, na palavra e na ação para o processo criativo funcionar.

Você não pode enganar a sua mente. Se não for sincero, sua mente saberá disso. Você acabará com todas as chances de sua mente poder ajudá-lo no processo de criação.

É claro que você pode criar sem sua mente — só que isso é muito mais difícil. Pode pedir a seu corpo para fazer algo em que sua mente não acredita e, se seu corpo o fizer durante tempo suficiente, sua mente começará a deixar para trás sua idéia anterior a esse respeito, e a criar uma Nova Idéia. Quando você tem uma Nova Idéia sobre uma coisa, está prestes a criá-la como um aspecto permanente do seu ser, em vez de como algo que está apenas representando.

Isso é fazer as coisas do modo difícil, e mesmo nesses casos, a ação deve ser sincera. Ao contrário do que você pode fazer com as pessoas, não pode manipular o Universo.

Portanto, temos aqui um equilíbrio muito delicado. O corpo faz algo em que a mente não acredita, contudo a mente deve acrescentar à ação do corpo o componente da sinceridade para isso funcionar.

Como a mente pode acrescentar sinceridade quando não "acredita" no que o corpo está fazendo?

Tirando o elemento egoísta do ganho pessoal.

Como?

A mente pode não ser capaz de reconhecer sinceramente que as ações do corpo podem lhe proporcionar o que você escolhe, mas parece saber muito bem que Deus proporcionará coisas boas através de você para outra pessoa.

Portanto, o que você escolher para si mesmo, dê para outra pessoa.

Poderia repetir isso, por favor?

É claro.

O que você escolher para si mesmo, dê para outra pessoa.

Se escolher ser feliz, faça a felicidade de outra pessoa.

Se escolher ser próspero, faça outra pessoa prosperar.

Se escolher mais amor em sua vida, faça outra pessoa ter mais amor na vida dela.

Faça isso sinceramente — não em benefício próprio, mas porque de fato deseja essas coisas para a outra pessoa — e receberá tudo o que der.

Por que é assim? Como isso funciona?

O próprio ato de dar algo o faz experimentar que o tem. *Como você não pode dar o que não tem, sua mente chega a uma nova conclusão, uma Nova Idéia sobre você — de que deve ter,* ou não poderia dá-lo.

Essa Nova Idéia torna-se então sua experiência. Você começa a "ser" o que dá. E quando começa a "ser" uma coisa, passa a fazer parte da máquina de criação mais poderosa do Universo — seu Eu Divino.

Seja o que for que você estiver sendo, está criando.

O ciclo está completo, e você criará cada vez mais isso em sua vida, o que se manifestará em sua experiência física.

Este é o maior segredo da vida. Foi para contá-lo que o Livro I e o Livro II foram escritos. Estava tudo lá, em maiores detalhes.

Por favor, explique-me por que a sinceridade é tão importante quando se trata de dar para outra pessoa aquilo que você escolhe para si mesmo.

Se você o der para outra pessoa como uma manipulação para obter algo, sua mente saberá disso. Terá lhe dado um sinal de que agora não tem o que deseja. *E como o Universo não é nada além de uma grande máquina copiadora, reproduzindo seus pensamentos em uma forma física,* essa será a sua experiência. *Isto é, você continuará a ter a experiência de "não ter o que deseja"– não importa* o que *faça!*

Essa também será a experiência da pessoa para quem você está tentando dar. Ela perceberá que você está apenas tentando obter alguma coisa, que realmente não tem nada a oferecer, e seu ato de dar será vazio, considerado interesseiro, como de fato é.

Desse modo, você afastará *o que tenta* atrair.

Contudo, quando você dá alguma coisa para outra pessoa com pureza de coração — porque percebe que ela a deseja e deveria tê-la — descobre que a tem para dar. E essa é uma grande descoberta.

Isso é verdade! Realmente *funciona* assim! Eu me lembro de que certa vez, quando as coisas não iam bem em minha vida, apoiei minha cabeça em minhas mãos e fiquei pensando que estava sem dinheiro e com pouca comida, que não sabia o que iria comer no dia seguinte e como pagar meu aluguel. Naquela mesma noite encontrei um jovem casal na rodoviária. Eu tinha ido lá para apanhar um pacote, e os vi, encolhidos em um banco, usando seus casacos como cobertores.

Eu fiquei comovido. Lembrei-me de quando minha geração era jovem e despreocupada e viajava assim. Caminhei em sua direção e lhes perguntei se gostariam de ir à minha casa e se sentar perto da lareira, tomar um pouco de chocolate quente e talvez abrir o sofá-cama e ter uma boa noite de sono. Eles arregalaram os olhos, como crianças em uma manhã de Natal.

Bem, nós fomos para a minha casa e eu lhes preparei uma refeição. Todos comemos melhor, naquela noite, do que qualquer um de nós comia há muito tempo. A comida sempre estivera lá. A geladeira estava cheia. Eu só tive de pegar todas as sobras que havia guardado. Preparei uma fritada com "tudo que havia lá dentro", e *ficou ótima!* Lembro-me de que pensei: de onde veio toda esta comida?

Na manhã seguinte, servi o café da manhã para o casal e mandei-os seguir seu caminho. Quando os levei de volta para a rodoviária, peguei em meu bolso uma nota de vinte dólares e dei a eles. "Talvez isso ajude", disse, e os abracei. Eu me senti melhor sobre a minha própria situação o dia inteiro. Ou melhor, *a semana inteira.* E essa experiência, que nunca esqueci, produziu uma mudança profunda em minha visão e compreensão da vida.

A partir dali as coisas melhoraram, e quando olhei no espelho para mim mesmo àquela manhã, percebi algo muito importante. *Eu ainda estou aqui.*

Essa é uma história linda. E você está certo. É exatamente assim que funciona. *Portanto, quando quiser algo, dê-o. Então não mais o "desejará". Imediatamente terá a experiência de "tê-lo". Tudo será uma extensão disso. Psicologicamente, você achará mais fácil "acrescentar" do que criar a partir do nada.*

Eu acho que acabei de ouvir algo muito profundo aqui. Agora o Senhor pode relacionar isso com a segunda parte da minha pergunta? Há uma ligação?

Veja bem, o que Eu estou sugerindo é que você já tem *a resposta para essa pergunta. Neste exato momento acha que não a tem; que se a tivesse teria sabedoria. Então busca a Minha sabedoria. Mas eu lhe digo para* ser *sabedoria, e você a terá.*

E qual é o modo mais rápido de "ser" sabedoria? Fazer outra pessoa *ser sábia.*

Você escolhe ter a resposta para essa pergunta? Dê a resposta para outra pessoa.

Então agora Eu lhe farei a pergunta. Fingirei que "não sei" e você Me dará a resposta.

Como a mãe que tira um filho do meio dos carros pode estar realmente amando-o, se o amor significa desejar para o outro o que você deseja para si mesmo?

Eu não sei.

Eu sei que não. Mas se achasse que sabia, qual seria a sua resposta?

Bem, eu diria que a mãe *realmente* desejava para a criança o que ela desejava — *permanecer viva.* Diria que ela não desejava morrer, mas simplesmente não sabia que se andasse pelo meio da rua isso poderia acontecer. Então, ao correr para lá, para pegar a criança, a mãe não a estava privando da oportunidade de realizar a sua vontade — mas apenas entrando em contato com a verdadeira escolha da criança, seu desejo mais profundo.

Essa seria uma ótima resposta.

Se isso for verdade, então o Senhor, como Deus, não deveria estar fazendo nada além de *nos impedir de nos prejudicarmos,* porque não pode ser nosso desejo mais profundo nos prejudicarmos. Porém, nós nos prejudicamos o tempo todo, e o Senhor simplesmente fica nos observando.

Eu estou sempre em contato com os seus desejos mais profundos e sempre os realizo.

Mesmo quando vocês fazem alguma coisa que poderá causar a sua morte — se esse for o seu desejo mais profundo, é o que terão: a experiência de "morrer".

Eu nunca interfiro nos seus desejos mais profundos.

O Senhor quer dizer que quando nós nos prejudicamos é isso que *queríamos* fazer? Era esse o nosso *desejo mais profundo?*

Vocês não podem "se prejudicar". São incapazes de ser prejudicados. O "prejuízo" é uma reação subjetiva, não um fenômeno objetivo. Vocês podem experimentar o "prejuízo" em qualquer situação, mas essa é uma escolha totalmente sua.

Dada essa verdade, a resposta para sua pergunta é: sim — quando você "se prejudicou" foi porque desejou fazê-lo. Mas Eu estou falando em um nível muito elevado, esotérico, e realmente não é daí que "vem" a sua pergunta.

No sentido a que você se refere, como uma questão de escolha consciente, Eu diria que não, sempre que você faz algo que o prejudica não é porque "desejou fazê-lo".

A criança atropelada por um carro porque andava pelo meio da rua não "quer" (deseja, escolhe conscientemente) morrer.

O homem que sempre se casa com o mesmo tipo de mulher — a errada para ele — que se apresenta de formas diferentes, não quer (deseja, escolhe conscientemente) ter maus casamentos.

Não se pode dizer que a pessoa que machuca o dedo com um martelo "queria" ter essa experiência. Ela não foi desejada, escolhida conscientemente.

No entanto, todos os fenômenos objetivos são atraídos por você inconscientemente; todos os eventos são criados por você inconscientemente; todas as pessoas, localidades ou coisas em sua vida foram atraídas por você — se preferir, criadas por seu Eu — para lhe proporcionar as condições exatas, a oportunidade perfeita de experimentar o que deseja para seguir em seu processo de evolução.

Eu lhe digo que nada pode acontecer em sua vida que não seja uma oportunidade perfeita de você curar, criar ou experimentar algo que deseja curar, criar ou experimentar para ser Quem Realmente É.

E quem realmente sou?

Quem escolher ser. Qualquer aspecto da Divindade que desejar ser é Quem Você É. Isso pode mudar a qualquer momento. De fato, freqüentemente muda, de um momento para o outro. Todavia, se você quiser que sua vida se estabilize, pare de lhe proporcionar tantas experiências variadas, há um modo de fazer isso. Simplesmente pare de mudar de idéia com tanta freqüência a respeito de Quem Você É e Escolhe Ser.

Isso é mais fácil de dizer do que de fazer!

Eu percebo que todos vocês fazem suas escolhas em muitos níveis diferentes. A criança que decide ir para a rua brincar no meio dos carros não está escolhendo morrer. Pode estar fazendo várias outras escolhas, mas morrer não é uma delas. Sua mãe sabe disso.

O problema aqui não é que a criança escolheu morrer, mas que fez escolhas que poderiam levá-la a mais de um resultado, inclusive sua morte. Esse fato não está claro para ela; não o conhece. São os dados que estão faltando que a impedem de fazer uma escolha melhor.

Portanto, você analisou isso perfeitamente.

Agora Eu, como Deus, nunca interferirei em suas escolhas — mas sempre saberei quais são.

Então você pode presumir que se uma coisa lhe acontece foi perfeito ter sido assim — porque nada escapa da perfeição no mundo de Deus.

O projeto de sua vida — as pessoas, localidades e ocorrências nela — foi perfeitamente criado pelo criador perfeito da própria perfeição: você. E por Mim... em você, como você e através de você.

Nós podemos trabalhar juntos nesse processo co-criativo consciente ou inconscientemente. Você pode viver consciente ou inconscientemente. Pode seguir o seu caminho dormindo ou acordado.

A escolha é sua.

Espere, volte àquele comentário sobre tomar decisões em muitos níveis diferentes. O Senhor disse que se eu quisesse que minha vida se estabilizasse, deveria parar de mudar de idéia sobre quem sou e desejo ser. Quando eu disse que isso pode não ser fácil, o Senhor observou que todos nós fazemos nossas escolhas em muitos níveis diferentes. Pode explicar melhor isso? O que significa? Quais são as implicações?

Se você desejasse tudo que sua alma desejasse, as coisas seriam muito simples. Se prestasse atenção à parte de você que é puro espírito, todas as suas decisões seriam fáceis, e todos os resultados seriam agradáveis, porque... as escolhas do espírito são sempre as mais elevadas.

Não precisam ser analisadas ou avaliadas. Só precisam ser seguidas, realizadas.

Entretanto, você não é apenas um espírito. É uma Trindade formada por corpo, mente e espírito. Essa é sua maravilha e glória. Porque você freqüentemente toma decisões e faz escolhas em todos os três níveis simultaneamente — e elas nem sempre coincidem.

Não é raro seu corpo querer uma coisa, enquanto sua mente quer outra e seu espírito uma terceira. Isso pode ser verdadeiro principalmente no caso de crianças, que muitas vezes não estão bastante maduras para fazer distinções entre o que parece "agradável" para o corpo e o que faz sentido para a mente — sem falar no que reflete a alma. Por isso, a criança anda pelo meio da rua.

Mas Eu, como Deus, estou consciente de todas as suas escolhas — mesmo as que você fez inconscientemente. Nunca interferirei nelas, muito pelo contrário. É Minha função garantir que você tenha o que escolheu ter. (Na verdade, você as dá para si mesmo. O que Eu tenho feito é colocar à sua disposição um sistema que lhe permite fazer isso. Esse sistema é chamado de processo de criação e é explicado detalhadamente no Livro I.)

Quando suas escolhas são conflitantes — quando o corpo, a mente e o espírito não agem como uma coisa só — o processo de criação atua em todos os níveis, produzindo resultados confusos. Por outro lado, se seu ser estiver em harmonia e suas escolhas forem uniformizadas, coisas surpreendentes poderão ocorrer.

Os jovens têm uma expressão — dar um jeito na vida — que poderia ser usada para descrever esse estado de existência unificado.

Também há níveis dentro dos níveis em sua tomada de decisão. Isso é particularmente verdadeiro no nível da mente.

Sua mente pode fazer — e faz — escolhas em um de pelo menos três níveis interiores: os da lógica, intuição e emoção — e às vezes em todos os três — criando a possibilidade de até mesmo mais conflitos interiores.

E dentro de um desses níveis — o da emoção — há outros cinco. São as cinco emoções naturais: *pesar, raiva, inveja, medo e amor.*

E dentro desses, também há dois últimos níveis: o do amor e do medo.

As cinco emoções naturais incluem o amor e o medo, contudo estes são a base de todas as emoções. As outras três são conseqüências dessas duas.

Em última análise, todos os pensamentos são determinados pelo amor e pelo medo. Essa é a grande polaridade. A dualidade primária. Tudo surge de uma dessas emoções. Todos os pensamentos e conceitos, e todas as idéias, interpretações, decisões e escolhas se baseiam em uma delas.

E, no final, há realmente apenas uma.

O amor.

Na verdade, o amor é tudo que há. Até mesmo o medo é uma conseqüência do amor e, quando usado de modo eficaz, o expressa.

O medo expressa o *amor*?

Em sua forma mais elevada, sim. Tudo expressa o amor, quando a expressão é em sua forma mais elevada.

A mãe que impede que a criança morra atropelada expressa medo ou amor?

Bem, acho que as duas coisas. Medo pela vida da criança, e amor suficiente para arriscar sua própria vida para salvá-la.

Exatamente. E então vemos aqui que o medo em sua forma mais elevada se torna amor... é amor... expressado como medo.

De igual modo, subindo na escala das emoções naturais, o pesar, a raiva e a inveja também são uma forma de medo, que por sua vez é uma forma de amor.

Uma coisa leva a outra. Está entendendo?

O problema surge quando uma das cinco emoções naturais é distorcida. Quando se torna grotesca e não pode ser de modo algum reconhecida como uma conseqüência do amor, muito menos como Deus, que é o Amor Absoluto.

Eu já ouvi falar nessas cinco emoções naturais — em minha maravilhosa associação com a Dra. Elisabeth Kübler-Ross, que as explicou para mim.

De fato. E fui Eu quem a inspirou a fazer isso.

Então, quando eu faço escolhas, muitas coisas dependem de "onde eu estou vindo", e poderia ser de vários níveis interiores.

Sim.

Por favor, diga-me — eu gostaria de ouvir isso de novo, porque esqueci de grande parte do que Elisabeth me ensinou — tudo sobre as cinco emoções naturais.

O pesar é uma emoção natural. É a parte de você que lhe permite dizer adeus quando não deseja fazer isso; expressar — pôr para fora — a tristeza em seu íntimo causada pela experiência de qualquer tipo de perda. Poderia ser de um ente querido, ou uma lente de contato.

Quando você pode expressar seu pesar, livra-se dele. As crianças, a quem é permitido ficar tristes quando estão tristes, lidam muito bem com a tristeza quando se tornam adultas e por isso costumam superá-la muito rapidamente.

As crianças a quem é dito "não chore" têm muita dificuldade em chorar quando se tornam adultas. Afinal de contas, disseram-lhes durante suas vidas inteiras para não chorarem. Por isso, reprimem seu pesar.

O pesar constantemente reprimido se transforma em depressão crônica, uma emoção muito antinatural.

Devido à depressão crônica, pessoas matam, guerras começam e nações se tornam decadentes.

A raiva é uma emoção natural. É a ferramenta que lhe permite dizer "não, obrigado". Não tem de ser abusiva e nunca deve prejudicar outra pessoa.

Quando é permitido às crianças expressar sua raiva, elas passam a ter uma atitude muito sadia em relação à raiva quando se tornam adultas e por isso costumam superá-la muito rapidamente.

As crianças que acham que é errado expressar sua raiva, e que de fato nunca deveriam senti-la, terão dificuldade em lidar adequadamente com sua raiva quando se tornarem adultas.

A raiva constantemente reprimida se transforma em ódio, uma emoção muito antinatural.

Devido ao ódio, pessoas matam, guerras começam e nações se tornam decadentes.

A inveja é uma emoção natural. É a emoção que faz um menino de cinco anos querer alcançar a maçaneta da porta como sua irmã — ou andar de bicicleta. A inveja é a emoção natural que o faz desejar fazer uma coisa de novo; tentar ainda mais; continuar tentando até ser bem-sucedido. É muito sadio e natural ser invejoso. Quando é permitido às crianças expressar sua inveja, elas passam a ter uma atitude muito sadia em relação à inveja quando se tornam adultas e por isso costumam superá-la muito rapidamente.

As crianças que acham que é errado expressar sua inveja, e que de fato nunca deveriam senti-la, terão dificuldade em lidar adequadamente com sua inveja quando se tornarem adultas.

A inveja constantemente reprimida se transforma em ciúme, uma emoção muito antinatural.

Devido ao ciúme, pessoas matam, guerras começam e nações se tornam decadentes.

O medo é uma emoção natural. Todos os bebês nascem com dois medos: o de cair e o de sons altos. Todos os outros medos são reações que aprendem a ter em seu ambiente, com seus pais. O objetivo do medo natural é produzir um pouco de cautela. A cautela é uma ferramenta que ajuda o corpo a viver. É uma conseqüência do amor. Do amor por si mesmo.

As crianças que acham que é errado expressar seu medo, e que de fato nunca deveriam senti-lo, terão dificuldade em lidar adequadamente com seu medo quando se tornarem adultas.

O medo constantemente reprimido se transforma em pânico, uma emoção muito antinatural.

Devido ao pânico, pessoas matam, guerras começam e nações se tornam decadentes.

O amor é uma emoção natural. Quando uma criança pode expressá-lo e recebê-lo naturalmente, sem limites ou condições, inibições ou constrangimentos, não é preciso mais nada. Porque a alegria do amor expressado e recebido dessa forma é suficiente. Contudo, o amor sujeito a condições, limites, regras, rituais e restrições, controlado, manipulado e contido, torna-se antinatural.

As crianças que acham que é errado expressar seu amor, e que de fato nunca deveriam senti-lo, terão dificuldade em lidar adequadamente com o amor quando se tornarem adultas.

O amor constantemente reprimido se transforma em possessividade, uma emoção muito antinatural.

Devido à possessividade, pessoas matam, guerras começam e nações se tornam decadentes.

Portanto, as emoções naturais, quando reprimidas, produzem reações antinaturais. E, na maioria das pessoas, grande parte das emoções naturais é reprimida. Porém, essas emoções são aliadas. São dádivas. Suas ferramentas divinas com as quais você constrói sua experiência.

Você recebe essas ferramentas no nascimento. Elas o ajudam a cuidar de sua vida.

Por que essas emoções são reprimidas na maioria das pessoas?

Elas foram ensinadas a reprimi-las.

Por quem?

Por seus pais. Por aqueles que as criaram.

Por quê? Por que eles fariam isso?

Porque isso lhes foi ensinado por seus pais, que o aprenderam com os pais deles.

Sim, sim. Mas *por quê?* O que está acontecendo?

O que está acontecendo é que as crianças estão sendo criadas pelas pessoas erradas.

O que o Senhor quer dizer? Quem são as "pessoas erradas"?

A mãe e o pai.

A mãe e o pai são as pessoas erradas para criar os filhos?

Quando os pais são jovens, sim. Na maioria dos casos, sim. De fato, é um milagre tantos deles se saírem tão bem nisso.

Ninguém está menos qualificado para criar filhos do que pais jovens. E, a propósito, ninguém sabe melhor disso do que eles.

A maioria dos pais tem muito pouca experiência de vida quando tem filhos. Mal aprenderam a cuidar de si mesmos. Ainda procuram respostas.

Ainda não se descobriram e estão tentando conduzir as descobertas de pessoas ainda mais vulneráveis que eles. Nem mesmo se definiram e tentam definir outras pessoas. Ainda estão tentando entender por que foram mal definidos por seus pais.

Nem mesmo descobriram Quem São e tentam lhe dizer quem você é. E sofrem muitas pressões para "acertar" quando nem mesmo conseguem "acertar" suas vidas. Por isso fazem tudo errado — com suas próprias vidas e as de seus filhos.

Se tiverem sorte, o dano causado a seus filhos não será muito grande. Eles o superarão, mas provavelmente não antes de também causá-lo a seus filhos.

A maioria de vocês passa a ter sabedoria, paciência, compreensão e amor para ser pais maravilhosos depois que seus anos de paternidade terminam.

Por quê? Eu não entendo. Percebo que Suas observações são em muitos casos corretas, mas por que isso ocorre?

Porque os jovens procriadores não foram feitos para criar filhos. Seus anos educando-os deveriam realmente começar quando terminam.

Estou um pouco perdido aqui.

Os seres humanos são biologicamente capazes de ter filhos quando ainda são crianças. A maioria de vocês pode ficar surpreso em saber que são crianças até os 40 ou 50 anos.

Os seres humanos são "crianças" *até os 40 ou 50 anos?*

De certo modo, sim. Sei que é difícil acreditar nisso, mas olhe ao seu redor. Talvez os comportamentos da sua raça confirmem o que Eu digo.

A dificuldade é que em sua sociedade, vocês são considerados "adultos" e prontos para o mundo quando completam 21 anos. Acrescente a isso o fato de que muitos de vocês foram criados por mães e pais que não tinham eles próprios muito mais do que essa idade *quando começaram a criá-los, e então poderá começar a compreender o problema.*

Se os procriadores fossem feitos *para criar filhos, a procriação só seria possível após os 50 anos!*

A procriação *deveria ser uma atividade dos jovens, cujos corpos são bem desenvolvidos e fortes. A* criação *dos filhos deveria ser uma atividade das pessoas mais velhas, cujas mentes são bem desenvolvidas e fortes.*

Em sua sociedade vocês insistiram em tornar os procriadores responsáveis pela criação dos filhos — com o resultado de que não só tornaram o processo da paternidade muito difícil, como também interpretaram mal muitas das energias envolvidas no ato sexual.

O Senhor poderia explicar isso?

Sim.

Muitos seres humanos observaram o que Eu observei aqui. Que muitas pessoas — talvez a maioria delas — não são realmente capazes de criar filhos quando são capazes de tê-los. No entanto, tendo descoberto isso, os humanos encontraram exatamente a solução errada.

Em vez de permitir aos jovens apreciar o sexo, e caso estes tenham filhos deixar que sejam criados por pessoas mais velhas, vocês lhes dizem para só terem sexo quando estiverem prontos para assumir a responsabilidade de criar filhos. *Vocês os fazem acreditar que é "errado" ter experiências sexuais antes desse tempo, criando assim um tabu em torno do que deveria ser uma das mais alegres celebrações da vida.*

É claro que esse é um tabu ao qual os jovens dão muito pouca atenção — e por um bom motivo: é totalmente antinatural seguir essa recomendação.

Os seres humanos desejam copular logo que recebem o sinal interior de que estão prontos para isso. Essa é a natureza humana.

Porém, a idéia de seus filhos a respeito de sua própria natureza terá mais a ver com o que vocês, como pais, lhe dizem sobre o que estão sentindo. Eles esperam que vocês lhes digam qual é o sentido da vida.

Por isso, quando começam a sentir necessidade de se entreolhar, brincar inocentemente uns com os outros e descobrir suas "diferenças" individuais, esperam que vocês lhes dêem um sinal para seguirem em frente. Essa parte de sua natureza humana é "boa"? É "ruim"? É aceitável? Deve ser reprimida? Contida? Desencorajada?

O que muitos pais dizem a seus filhos sobre essa parte de sua natureza tem origem em todos os tipos de coisas: o que lhes *disseram; o que sua* religião *diz; o que sua* sociedade *pensa — tudo, exceto a ordem natural das coisas.*

Na ordem natural da sua espécie, a sexualidade começa a se manifestar entre os 9 e 14 anos. A partir dos 15 está muito presente na maioria das pessoas. Assim, começa uma corrida contra o tempo — com as crianças buscando a plena liberação de sua energia sexual e os pais tentando impedi-las de fazer isso.

Os pais precisam de toda ajuda possível nessa luta, já que, como foi observado, pedem a seus filhos para não fazer algo *que é parte da sua natureza.*

Os adultos inventaram todos os tipos de pressões familiares, culturais, religiosas, sociais e econômicas, restrições e limitações para justificar suas exigências antinaturais em relação a seus filhos. Desse modo, as crianças passam a acreditar que sua própria sexualidade é antinatural. *Como algo que é "natural" pode ser tão vergonhoso, reprimido, controlado, restringido e negado?*

Bem, acho que o Senhor está exagerando um pouco aqui. Não acha?

Estou? Qual você acha que é o impacto em uma criança de quatro ou cinco anos de seus pais nem mesmo usarem o nome *correto para certas partes de seus corpos? O que eles estão lhe dizendo sobre seu nível de satisfação com seus corpos, e qual acham que o* delas deveria ser?

Hum...

Sim... "hum"...

Bem, "nós simplesmente não usamos essas palavras", como minha avó costumava dizer. É que "piu piu" e "bumbum" *soam* melhor.

É só porque essas partes do corpo carregam tamanha "bagagem" negativa que vocês mal podem usar essas palavras em uma conversa comum.

É claro que na primeira infância as crianças não sabem por que seus pais se sentem assim, mas apenas são deixadas com a impressão, a freqüentemente indelével *impressão, de que certas partes do corpo são "vergonhosas" e que tudo relacionado com elas é constrangedor — senão "errado".*

Quando as crianças se tornam adolescentes podem se dar conta de que isso não é verdade, mas então lhes é falado em termos muito claros sobre a ligação entre a gravidez e a sexualidade e como terão de criar os filhos que gerarem. Portanto, agora têm outro motivo para achar que a expressão sexual é "errada" — e o ciclo está completo.

Isso tem causado muita confusão e muitos danos a sua sociedade — o que é sempre o resultado de contrariar a natureza.

Vocês criaram o constrangimento sexual, a repressão e a vergonha — que levaram à inibição, à disfunção e à violência sexual.

*Como uma sociedade, vocês sempre se sentirão inibidos em relação ao que os faz se sentirem constrangidos; sempre terão problemas com comportamentos que foram reprimidos e sempre reagirão com violência ao fato de terem sido levados a se envergonhar do que sa*bem em seu íntimo que nunca deveriam se envergonhar.

Então Freud estava certo quando disse que grande parte da raiva na espécie humana poderia estar relacionada com o sexo — uma raiva profunda da necessidade de reprimir instintos físicos básicos e naturais, interesses e desejos.

Vários de seus psiquiatras se aventuraram nessa área. O ser humano sente raiva porque sabe que não deveria sentir vergonha do que aprecia tanto — e, no entanto, sente vergonha, e culpa.

Em primeiro lugar, os seres humanos sentem raiva de si mesmos por apreciarem tanto algo que deve ser obviamente "ruim".

Então, quando percebem que foram enganados — que a sexualidade deve ser uma parte maravilhosa, louvável e gloriosa da natureza humana — sentem raiva de outras pessoas e instituições: de seus pais, por reprimi-los, da religião, por fazê-los sentir vergonha, dos membros do sexo oposto, por provocá-los, de toda a sociedade, por controlá-los.

Finalmente, sentem raiva de si mesmos, por deixar que tudo isso os iniba.

Grande parte dessa raiva reprimida tem sido canalizada para a construção de valores morais distorcidos na sociedade em que você agora vive — uma sociedade que glorifica e louva, com monumentos, estátuas e selos comemorativos, filmes e programas de TV, alguns dos maiores atos de violência do mundo, mas esconde — ou pior ainda, deprecia — alguns dos mais belos atos de amor do mundo.

E tudo isso *surgiu de uma única idéia: de que aqueles que têm filhos também são os únicos responsáveis por sua criação.*

Mas e se as pessoas que tivessem filhos não fossem responsáveis pela criação deles, quem seria?

Toda a comunidade. Especialmente os idosos.

Que idosos?

Nas sociedades mais evoluídas, os idosos criam, alimentam e educam as crianças, transmitindo-lhes sua sabedoria, seus conhecimentos e suas tradições. Mais tarde, quando falarmos sobre algumas dessas civilizações, tratarei desse tema de novo.

Em qualquer sociedade em que ter filhos cedo não é considerado "errado" — porque os idosos da tribo os criam e, portanto, essa responsabilidade não é considerada um peso — não se ouve falar em repressão sexual, estupro, desvios e disfunções sexuais.

Existem sociedades assim em nosso planeta?

Sim, embora estejam desaparecendo. Vocês têm tentado acabar com elas, porque as consideram bárbaras. No que chamam de suas sociedades não-bárbaras, as crianças (e esposas e maridos) são bens pessoais, e por isso os procriadores devem criar seus filhos, porque precisam cuidar do que é "deles".

Uma das idéias que é a base de muitos de seus problemas sociais é a de que os cônjuges e filhos são bens pessoais, "propriedades" suas.

Nós examinaremos todo esse tema da "propriedade" mais tarde, quando falarmos sobre a vida dos seres muito evoluídos. Mas, por enquanto, pense apenas nisso por um minuto. Uma pessoa está de fato pronta emocionalmente para criar seus filhos quando está pronta fisicamente para tê-los?

A verdade é que a maioria das pessoas não está pronta para educá-los nem mesmo aos 30 ou 40 anos — e não se deveria esperar que estivesse. Essas pessoas ainda não viveram o suficiente como adultos para transmitir-lhes sabedoria.

Eu já ouvi isso antes. Mark Twain falou sobre esse assunto. Dizem que comentou: "Quando eu tinha 19 anos, meu pai não sabia coisa alguma. Mas quando eu tinha 35, fiquei surpreso ao perceber o quanto o Velho tinha aprendido."

Ele entendeu isso perfeitamente. Os anos de sua juventude nunca deveriam ser dedicados ao ensino da verdade, mas a seu aprendizado. Como você pode ensinar a seus filhos uma verdade que ainda não conhece?

É claro que não pode. Por isso, acaba lhes contando a única verdade que conhece — a de outras pessoas. De seu pai, sua mãe, sua cultura, sua religião. Qualquer verdade, menos a sua. Você ainda a está buscando.

E estará buscando, experimentando, encontrando, criando e recriando sua verdade, sua idéia sobre si mesmo, até estar há meio século, ou perto disso, neste planeta.

Então finalmente poderá começar a aceitar a sua verdade. E provavelmente a maior verdade que aceitará é a de que não há uma verdade constante; que toda verdade, como a própria vida, é mutante, algo que evolui — e que, quando você acha que o processo de evolução parou, ele apenas começou.

Sim, já passei por isso. Tenho mais de 50 anos e cheguei a esse ponto.

Ótimo. Agora é um homem mais sábio. Uma pessoa mais velha. Deveria se encarregar da criação de seus filhos. Ou melhor ainda, deveria fazer isso daqui a dez anos. São os idosos que devem criar as crianças — e que foram preparados para isso.

São eles que conhecem a verdade e a vida. E que sabem o que é e o que não é importante. E o que realmente significam termos como integridade, honestidade, lealdade, amizade e amor.

Eu entendo o que o Senhor quer dizer. É difícil aceitar esse fato, mas muitos de nós mal deixaram de ser "crianças" para se tornar "alunos" quando têm filhos e acham que têm de começar a dar-lhes *lições*. Então lhes ensinam o que seus pais lhes ensinaram.

Por esse motivo, o filho é punido pelos pecados do pai até a sétima geração.

Como podemos mudar isso? Como pôr fim a esse ciclo?

Deixem a cargo de seus respeitáveis idosos a criação das crianças. Os pais podem ver os filhos sempre que quiserem, viver com eles se assim o preferirem, mas não são os únicos responsáveis por sua criação. As necessidades físicas, sociais e espirituais das crianças são satisfeitas por toda a comunidade, com a educação e os valores oferecidos pelas pessoas mais velhas.

Mais tarde, em nosso diálogo, quando falarmos sobre essas outras culturas no Universo, examinaremos alguns novos modelos de vida. Mas esses modelos não funcionarão do modo como vocês comumente estruturam suas vidas.

O que o Senhor quer dizer?

Quero dizer que não é só para a paternidade que vocês estão usando um modelo ineficaz, mas para toda a sua vida.

Mais uma vez, o que o Senhor quer dizer?

Vocês se afastaram uns dos outros, separaram suas famílias, deixaram suas pequenas comunidades para ir para as cidades grandes.

Nessas cidades há mais pessoas, mas menos "tribos", grupos ou clãs cujos membros se consideram responsáveis pelo todo. Então vocês não contam com os idosos. De qualquer modo, afastaram-se deles.

Pior do que isso, vocês os rejeitaram. Marginalizaram. Tiraram seu poder. E até mesmo se ressentiram deles.

Sim, alguns membros da sua sociedade até mesmo se ressentem deles, dizendo que exploram o sistema, exigindo benefícios pelos quais os jovens têm de pagar com partes cada vez maiores de sua renda.

Isso é verdade. Alguns sociólogos estão prevendo um conflito de gerações, com as pessoas mais velhas sendo culpadas por exigirem cada vez mais, enquanto contribuem cada vez menos. Há muito mais idosos agora, porque as pessoas estão vivendo mais.

Mas se seus idosos não estão contribuindo, é porque vocês não lhes permitiram contribuir. Exigiram que se aposentassem quando realmente poderiam ser úteis para suas empresas, e que deixassem de ter uma participação significativa na vida, quando sua participação poderia dar algum sentido a alguns de seus progressos.

Não só no que diz respeito à paternidade, mas também à política, à economia e até mesmo à religião, onde os idosos pelo menos tinham alguma influência. Vocês se tornaram uma sociedade que valoriza os jovens e despreza os velhos.

Sua sociedade também se tornou singular, em vez de plural. Isto é, uma sociedade formada por indivíduos, em vez de grupos.

Como vocês tornaram sua sociedade individualizada e de jovens, perderam grande parte de sua riqueza e seus recursos. Agora estão sem ambos, com muitos de vocês convivendo com a pobreza emocional e psicológica.

Eu vou repetir a minha pergunta. Como podemos pôr fim a esse ciclo?

Em primeiro lugar, reconheçam que ele é real. Muitos de vocês vivem negando-o, fingindo que não existe. Estão mentindo para si mesmos e não querem ouvir a verdade, muito menos dizê-la.

Também falaremos sobre isso depois, quando examinarmos as civilizações muito evoluídas, porque essa negação, essa incapacidade de observar e reconhecer o que acontece, não é uma coisa insignificante. E se você quiser realmente mudar as coisas, espero que Me ouça.

Chegou a hora de dizer a verdade, pura e simples. Está pronto?

Sim. Foi por isso que O procurei. Foi assim que toda esta conversa começou.

A verdade muitas vezes incomoda. Só não incomoda àqueles que não desejam ignorá-la. Então se torna não só confortadora, como inspiradora.

Para mim, todas as três partes deste diálogo foram inspiradoras. Por favor, continue.

Há alguns bons motivos para se sentir otimista. Eu observo que as coisas começaram a mudar. Há mais do que nunca uma ênfase entre sua espécie em criar comunidades e famílias ampliadas. E cada vez mais vocês estão honrando seus idosos, encontrando sentido e valor em suas vidas. Esse é um grande passo, em uma ótima direção.

Então as coisas estão "mudando". Sua cultura parece ter dado esse passo. Agora, é só seguir em frente.

Você não pode fazer essas mudanças da noite para o dia. Por exemplo, não pode mudar de repente todo o seu modo de ver a paternidade, que deu início a toda essa linha de pensamento. Mas pode *mudar seu futuro, passo a passo.*

Ler este livro é um desses passos. Este diálogo tratará repetidamente de muitos pontos importantes antes de terminar. Isso não ocorrerá por acaso, mas para enfatizá-los.

Você gostaria de ter idéias para construir seu futuro. Vamos começar examinando seu passado.

Capítulo 2

O que o passado tem a ver com o futuro?

Quando você conhece o passado, pode conhecer melhor todas as suas possibilidades futuras. Você Me perguntou como fazer sua vida melhorar. Para isso será útil saber como chegou aonde está agora.

Eu lhe falarei sobre poder e força — e a diferença entre as duas coisas. E sobre a figura de Satanás, que vocês inventaram, como e por que fizeram isso, e como chegaram à conclusão de que Deus era "Ele", e não "Ela".

Eu lhe falarei sobre Quem Realmente Sou, em vez de quem vocês disseram que Eu sou em suas mitologias. Eu lhe descreverei Meu Ser de tal forma que você desejará substituir a mitologia pela cosmologia — pela verdadeira cosmologia do Universo e por seu relacionamento Comigo. Eu lhe falarei sobre a vida, como funciona e por que funciona dessa forma. Este capítulo trata de tudo isso.

Quando você souber dessas coisas, poderá decidir o que deseja rejeitar do que sua raça criou. Porque a terceira parte de nossa conversa, este terceiro livro, é sobre a criação de um novo mundo, uma nova realidade.

Vocês, Meus filhos, viveram muito tempo presos a suas próprias tramas. É hora de se libertarem.

Aprisionaram suas cinco emoções naturais, reprimindo-as e transformando-as em emoções muito antinaturais, que trouxeram para seu mundo infelicidade, morte e destruição.

Há séculos, o modelo de comportamento em seu planeta é: não "se entregue" às suas emoções. Se está sentindo pesar, reprima-o; se está sentindo raiva, sufoque-a; se está sentindo inveja, envergonhe-se dela; se está sentindo medo, vença-o; se está sentindo amor, controle-o, limite-o, fuja dele — faça tudo que puder para não expressá-lo plenamente nesse momento.

É hora de vocês se libertarem.

Na verdade, vocês aprisionaram seus "Eus" Sagrados. E é hora de libertá-Los.

Estou começando a ficar animado com isso. Como começamos? E por onde?

Em nosso breve estudo de como as coisas chegaram a esse ponto, vamos voltar ao tempo em que a sociedade se reorganizou. Foi quando o ser humano se tornou a espécie dominante e decidiu que era inadequado exprimir suas emoções — ou, em alguns casos, até mesmo tê-las.

O que o Senhor quer dizer com "quando a sociedade se reorganizou"? Do que estamos falando?

Em uma fase anterior de sua história, vocês viviam em uma sociedade matriarcal. Então houve uma mudança e surgiu o patriarcado. Quando vocês fizeram essa mudança, deixaram de expressar suas emoções. Rotularam isso como "fraqueza". Foi nessa época que os homens inventaram o demônio e o Deus masculino.

Os homens inventaram o demônio?

Sim. Satanás foi basicamente uma invenção masculina. Toda a sociedade acabou aceitando-a, mas o controle das emoções e a invenção de um "Ser Maligno" foram parte de uma revolta masculina contra o período matriarcal, em que as mulheres governavam tudo de acordo com suas emoções. Elas ocupavam todos os cargos governamentais, todas as posições de poder religiosas e de influência nas áreas comerciais, científicas, acadêmicas e curativas.

Que poder os homens tinham?

Nenhum. Eles precisavam justificar sua existência, porque tinham muito pouca importância além de sua capacidade de fertilizar óvulos femininos e carregar objetos pesados. Eram muito parecidos com formigas e abelhas operárias. Faziam o trabalho físico pesado e geravam e protegiam seus filhos.

Foram necessários séculos para eles encontrarem e criarem um lugar mais importante para si mesmos em sua sociedade. Para ao menos ser-lhes permitido participar das decisões de seu clã, terem o direito de opinar sobre as decisões de sua comunidade, ou votá-las. As mulheres não os consideravam suficientemente inteligentes para isso.

Nossa! É difícil imaginar que uma sociedade proibiria toda uma classe de pessoas de até mesmo votar, baseada simplesmente em seu sexo.

Eu aprecio seu senso de humor. Realmente aprecio. Posso continuar?

Sim.

De fato, passaram-se séculos antes de os homens poderem pensar em ocupar as posições de liderança para as quais finalmente tinham a chance de votar. Outras posições de influência e poder dentro de sua cultura lhes eram igualmente negadas.

Quando os homens finalmente passaram a ocupar posições de liderança na sociedade, quando tiveram outro papel nela além de o de procriadores e possíveis escravos, não viraram a mesa, mas sempre respeitaram as mulheres e lhes permitiram ter o poder e a influência que todos os seres humanos merecem, não importa seu sexo.

Estou percebendo o seu senso de humor de novo.

Ah, me desculpe. Estou no planeta errado?

Vamos voltar à nossa narrativa. Mas antes de falarmos sobre a invenção do "demônio", vamos falar um pouco sobre o poder. Porque é claro que foi ele que levou à invenção de Satanás.

Agora o Senhor vai dizer que os homens têm todo o poder na sociedade atual, certo? Vou me adiantar e dizer-Lhe por que acho que isso aconteceu.

O Senhor disse que no período matriarcal os homens eram muito parecidos com abelhas operárias que servem à abelha rainha. Que faziam o trabalho físico pesado e geravam e protegiam seus filhos. E *eu* tive vontade de observar: "Então, o que mudou? É isso que eles fazem *hoje em dia*!" E aposto que muitos homens provavelmente diriam que as coisas *não* mudaram muito — exceto pelo fato de que eles começaram a se beneficiar representando seu "papel ingrato". Têm mais poder.

Na verdade, a maior parte do poder.

Sim, a maior parte do poder. Mas a ironia que vejo aqui é que os dois sexos acham que estão realizando as tarefas ingratas, enquanto o sexo oposto fica com toda a parte boa. Os homens se ressentem das mulheres que tentam recuperar um pouco do seu poder, porque dizem que não poderão fazer tudo que fazem pela cultura se não tiverem ao menos *o poder necessário para isso.*

As mulheres se ressentem dos homens deterem todo o poder, dizendo que não poderão fazer o que fazem pela cultura e ainda assim continuar sem poder.

Você analisou tudo corretamente. E tanto os homens como as mulheres estão condenados a repetir seus próprios erros em um ciclo interminável de sofrimento auto-imposto, até que um ou outro lado entenda que a vida não diz respeito ao poder, mas à força. E enquanto ambos não entenderem que a vida não diz respeito à separação, mas à união. Porque é na união *que a* força interior *existe, e na separação que se dissipa, fazendo a pessoa se sentir fraca e impotente — e portanto, lutar pelo poder.*

Eu lhe digo para acabarem com as desavenças entre vocês, e a ilusão de separação e reencontrarão a fonte de sua força interior. É nela que está o verdadeiro poder. O poder de fazer qualquer coisa. De ser e ter tudo. Porque o poder de criar deriva da força interior que é produzida através da união.

Isso é verdadeiro no que diz respeito ao relacionamento entre você e seu Deus — como também ao relacionamento entre você e seus semelhantes.

Pare de pensar em si mesmo isoladamente, e todo o verdadeiro poder que surge da força interior da união será seu — como uma sociedade como um todo e um indivíduo parte desse todo — para exercer como desejar.

Contudo, lembre-se de que:

O poder vem da força interior. A força interior não vem do poder em estado bruto. *Meio mundo pensa o contrário.*

O poder sem força interior é uma ilusão. A força interior sem união é uma mentira. Uma mentira que não tem servido à sua consciência de raça. Porque vocês acham que a força interior vem da individualidade *e* separação, *e isso simplesmente não é verdade. A separação de Deus e uns dos outros é a causa de todas as suas disfunções e todos os seus sofrimentos. Ainda assim, a separação continua a usar a máscara da força, de sua política e economia, e até mesmo suas religiões perpetuaram essa mentira.*

Essa mentira é a origem de todas as guerras e lutas de classes que levam às guerras; de toda a animosidade entre raças e sexos, e de todas as lutas por poder que levam à animosidade; de todas as provações pessoais e lutas internas que levam às provações.

Ainda assim vocês a aceitam, não importa se vêem a que os levou — mesmo se os levou à sua própria destruição.

Agora Eu lhe digo: conheça a verdade, e ela o libertará.

Não existe separação. Uns dos outros, de Deus e de nada que existe.

Eu repetirei muitas vezes essa verdade nestas páginas. Farei essa observação repetidamente.

Aja como se você não fosse separado de nada e de ninguém e terá um futuro melhor.

Esse é maior segredo de todos os tempos. *A resposta que o homem procura há milênios. A solução que buscou, a revelação que pediu em suas preces.*

Aja como se você não fosse separado de nada e de ninguém e terá um futuro melhor.

Entenda que isso diz respeito a partilhar o poder, não a ter poder sobre algo ou alguém.

Obrigado. Eu entendi. Então, voltando ao que estávamos falando, primeiro as mulheres tinham poder sobre os homens, e agora ocorre o contrário. E os homens inventaram o demônio para tirar esse poder das mulheres da tribo ou líderes do clã?

Sim. Eles usaram o medo, porque era a única arma que tinham.

Mais uma vez, digo que quase nada mudou. Os homens fazem isso até hoje. Às vezes até mesmo antes de usarem a *razão,* usam o medo. Particularmente se forem homens mais importantes ou mais fortes. (Ou nações mais importantes ou mais fortes.) Isso parece *celular.* O poder é que importa. Força é poder.

Sim. Tem sido assim desde o fim do matriarcado.

Como as coisas chegaram a esse ponto?

É disso que trata esta pequena história.

Então, por favor, continue.

Durante o período matriarcal, o que os homens tiveram de fazer para ter poder não foi convencer as mulheres de que eles deveriam ter mais controle sobre suas vidas, mas convencer os outros homens disso.

Afinal de contas, a vida era tranqüila, e havia modos piores de os homens passarem o dia do que apenas fazendo algum trabalho físico para serem valorizados e então terem sexo. Por isso não foi fácil para eles, que não tinham poder, convencer outros homens sem poder a buscá-lo. Até que descobriram o medo.

O medo era uma coisa com que as mulheres não tinham contado.

Esse medo começou com sementes de dúvida, plantadas pelos homens mais insatisfeitos. Eles eram em geral os menos "desejáveis"; os mais feios e com menos músculos — e, portanto, aqueles nos quais as mulheres prestavam menos atenção.

E eu aposto que suas queixas eram consideradas um resultado de sua frustração sexual.

Você está certo. Ainda assim, os homens insatisfeitos tinham de usar a única arma que tinham. Então começaram a plantar o medo com as sementes da dúvida. — E se as mulheres estivessem erradas? — perguntavam. — E se seu modo de governar o mundo não fosse o melhor? E se estivesse levando toda a sociedade — toda a raça humana — à extinção?

Aquilo era algo que muitos homens não podiam imaginar. Afinal de contas, as mulheres não tinham uma ligação direta com a Deusa? Não eram réplicas exatas dela? E a Deusa não era boa?

O doutrinamento foi tão convincente que os homens não tiveram outra escolha além de inventar um demônio, Satanás, para contrapor-se à bondade infinita da Deusa-Mãe imaginada e adorada no período matriarcal.

Como eles conseguiram convencer as pessoas de que havia um "ser maligno"?

A única coisa que sua sociedade compreendia era a teoria da "maçã do pecado". Até mesmo as mulheres percebiam e sabiam, por experiência própria, que algumas crianças se revelavam "más", não importa o que fizessem. Especialmente, como todos sabiam, os meninos, que simplesmente não podiam ser controlados.

Assim foi criado um mito.

O mito afirmava que a Grande Mãe, a Deusa das Deusas, um dia gerou um filho que era mau. *Não importava o que a Mãe fizesse, o filho não se tornava bom. Finalmente, ele lutou com a Mãe por seu próprio trono.*

Aquilo era demais, até mesmo para uma Mãe carinhosa e magnânima. O filho foi banido para sempre — mas continuou a aparecer disfarçado e com roupas bonitas, às vezes até mesmo disfarçado da própria Grande Mãe.

Esse mito lançou as bases para os homens se perguntarem: "Como sabemos que a Deusa que adoramos é a própria Deusa? Poderia ser o mau filho, agora crescido e querendo nos enganar."

Com esse artifício, os homens fizeram outros homens se preocuparem, depois se irritarem porque as mulheres não estavam levando suas preocupações a sério, e finalmente a se rebelarem.

Assim foi criado o ser que vocês agora chamam de Satanás. Não foi difícil criar um mito a respeito de um "mau filho" e tampouco convencer até mesmo as mulheres do clã da possibilidade da existência dessa criatura. Também não foi difícil fazer todos acreditarem que o mau filho era do sexo masculino. Afinal de contas, o sexo masculino não era o sexo inferior?

Esse artifício foi usado para criar um problema mitológico. Se o "mau filho", o "maligno", era do sexo masculino, quem poderia vencê-lo? Certamente não uma Deusa feminina. Porque, diziam os homens habilmente, quando se tratava de sabedoria e insight, *cla-*

reza e compaixão, planejamento e reflexão, ninguém duvidava da superioridade feminina. Mas quando se tratava de força bruta, os homens não eram necessários?

Anteriormente, na mitologia da Deusa, os homens eram meramente consortes — companheiros para as mulheres, agindo como servos e satisfazendo o forte desejo de celebração sensual da magnificência da Deusa.

Mas agora era necessário um homem que pudesse fazer mais; que também pudesse proteger a Deusa e derrotar o inimigo. Essa transformação não ocorreu da noite para o dia, mas ao longo de muitos anos. Pouco a pouco, as sociedades começaram a ver o consorte do sexo masculino também como o homem protetor em suas mitologias espirituais, porque era claramente necessário proteger a Deusa de *alguém.*

Não demorou muito para o homem passar de protetor a parceiro igual, *estando agora ao lado da Deusa.* O Deus masculino *foi criado e, durante algum tempo, deuses e deusas reinaram juntos na mitologia.*

Então, mais uma vez, pouco a pouco, foram dados aos deuses papéis mais importantes. A necessidade de proteção e força começou a superar a de sabedoria e amor. Um novo tipo de amor nasceu dessas mitologias. Um amor que protege com a força bruta. Mas aquele também era um amor que cobiçava o que protegia; que tinha ciúmes de suas deusas; que agora não só satisfazia seus desejos femininos, como também lutava e morria por eles.

Começaram a surgir mitos de deuses de grande poder, lutando por deusas de indescritível beleza. E assim nasceu o Deus ciumento.

Isso é fascinante!

Espere. Estamos chegando ao final, mas há um pouco mais.

Não demorou muito para o ciúme dos deuses se estender não só às Deusas, mas também a todas as criaturas em todas as esferas. Era melhor amarem apenas a eles, exigiam esses deuses, e a nenhum outro deus — ou a ninguém mais!

Como os homens eram a espécie mais poderosa, e os deuses eram os mais poderosos dos homens, parecia impossível lutar contra essa nova mitologia.

Começaram a surgir histórias a respeito dos que lutaram e perderam. E assim surgiu o Deus colérico.

Logo, toda a idéia da Divindade foi deturpada. Em vez de ser a fonte de todo o amor, tornou-se a fonte de todo o medo.

Um modelo de amor que era em grande parte feminino — o amor infinitamente tolerante da mãe por seu filho e, sim, até mesmo por seu filho não muito inteligente, mas afinal de contas um homem útil, foi substituído pelo amor ciumento e exigente de um Deus intolerante que não admitia interferências, indiferença ou ofensas.

O sorriso da Deusa divertida, experimentando um amor ilimitado e submetendo-se docilmente às leis da natureza, foi substituído pelo semblante severo de um Deus não tão divertido, que afirmava ter poder sobre as leis da natureza e limitava para sempre o amor.

Esse é o Deus que vocês adoram hoje, e foi assim que chegaram ao ponto em que estão agora.

Isso é surpreendente. Interessante e surpreendente. Mas o que o Senhor pretende me dizendo todas essas coisas?

É importante que saiba que vocês criaram tudo isso. *A idéia de que "o poder é que importa" ou que "força é poder" nasceu dos mitos teológicos criados pelos homens.*

O Deus colérico e ciumento foi fruto de sua imaginação. Contudo, vocês o imaginaram durante tanto tempo que se tornou real. *Alguns ainda o consideram real hoje. Mas isso não tem nada a ver com a realidade máxima, ou com o que realmente acontece.*

E o que é?

O que acontece é que sua alma anseia pela experiência mais elevada de si mesma *que pode imaginar. Está no seu planeta com esse objetivo — realizar-se (isto é, tornar-se real) em sua experiência.*

Então descobre os prazeres da carne — não apenas sexuais, mas todos os tipos de prazer — e ao entregar-se a eles pouco a pouco se esquece dos prazeres do espírito.

Esses também são prazeres — maiores do que o corpo poderia lhe proporcionar. Mas a alma se esquece disso.

Está bem, agora estamos deixando para trás toda a história e voltando a algo que o Senhor já mencionou neste diálogo. Poderia falar novamente sobre isso?

Bem, realmente estamos deixando para trás a história. Estamos fazendo uma ligação entre tudo. Veja bem, isso é realmente muito simples. O objetivo de sua alma — seu motivo para encarnar — é ser e expressar Quem Você Realmente É. A alma anseia por conhecer-se e ter sua própria experiência.

Essa ânsia por conhecer-se é a vida tentando ser. É Deus escolhendo expressar-se. O Deus de suas histórias não é o Deus que realmente é. Esse é o problema. Sua alma é o meio pelo qual Eu expresso e experimento a Mim Mesmo.

Isso não *limita* muito a Sua experiência?

Sim, a menos que não limite. Depende de você. Você é a expressão e experiência de Mim Mesmo em qualquer nível que escolher. Houve aqueles que escolheram expressões muito grandiosas. Não houve mais grandiosas do que a de Jesus Cristo — embora tenha havido outras igualmente elevadas.

Cristo não é o exemplo mais elevado? Não é Deus tornado Homem?

Cristo é o exemplo mais elevado. Mas não é o único exemplo para atingir esse estado elevado. É Deus tornado Homem. Mas não é o único homem feito de Deus.

Todo homem é "Deus tornado Homem". Você é Deus expressando-se em sua forma atual. Mas não se preocupe com a possibilidade de Me limitar; com o quanto isso Me torna limitado. Porque Eu não sou limitado e nunca fui. Você acha que é a única forma que Eu escolhi? Acha que os seres humanos são as únicas criaturas que Eu imbuí de Minha Essência?

Eu lhe digo que estou em todas as flores, todos os arco-íris, todas as estrelas do céu, e em tudo, em todos os planetas que giram em torno de todos os astros.

Eu sou o sussurro do vento, o calor de seu Sol, a incrível individualidade e a extraordinária perfeição de todos os flocos de neve.

Eu sou a majestade no vôo alto das águias e a inocência da corça no campo; a coragem dos leões e a sabedoria dos antigos.

E não Me limito aos modos de expressão vistos em seu planeta. Vocês não sabem Quem Eu Sou, mas apenas acham que sabem. Contudo, não pensem que Quem Eu Sou está limitado a vocês, ou que

Minha Essência Divina — o Espírito Santo — foi concedida apenas a vocês. A Totalidade é Minha Expressão. O Todo é Minha Natureza. Não há nada que Eu Não Sou, e o que Eu Não Sou não pode ser.

Meu objetivo, ao criá-los, Minhas criaturas abençoadas, foi ter uma experiência de Mim Mesmo como o criador de Minha Própria Experiência.

Algumas pessoas não entendem isso. Ajude todos nós a compreender.

O único aspecto de Deus que apenas uma criatura muito especial pôde criar foi o aspecto de Mim Mesmo como O Criador.

Eu não sou o Deus de suas mitologias, tampouco a Deusa. Sou O Criador — Aquele Que Cria. Não obstante, escolho Conhecer a Mim Mesmo em Minha Própria Experiência.

Assim como Eu conheço minhas formas perfeitas através de um floco de neve, e Minha beleza extraordinária através de uma rosa, também conheço Meu poder criativo através de vocês.

Eu lhes concedi o dom de criar conscientemente sua experiência, que é o dom que tenho.

Através de vocês, posso conhecer todos os aspectos de Mim Mesmo. A perfeição do floco de neve, a extraordinária beleza da rosa, a coragem dos leões, a majestade das águias, tudo reside em vocês. Em vocês Eu coloquei todas essas coisas, e algo mais: a consciência para terem consciência disso.

Portanto, Eu os tornei Conscientes de Si Mesmos. E dessa forma foi-lhes concedido o maior dom, porque vocês tomaram consciência de si mesmos sendo vocês mesmos — o que é exatamente o que Eu Sou.

Eu sou Eu Mesmo, consciente de Mim Mesmo, sendo *Eu Mesmo.*

É isso que significa a frase: Eu Sou O Que Sou.

Vocês são a Parte de Mim que é a consciência experimentada.

E o que estão experimentando (e o que Eu estou experimentando através de vocês) é a Mim, criando-Me.

Eu realizo o ato contínuo de Me criar.

Isso significa que o Senhor não é constante? Que não sabe o que *será* no momento seguinte?

Como posso saber? Você não decidiu ainda!

Deixe-me entender direito. *Eu* estou decidindo tudo isso?

Sim. Eu sou você escolhendo ser Eu.

Eu sou você escolhendo ser O Que Sou — e o que serei.

Todos vocês, coletivamente, estão criando isso. Estão fazendo-o em uma base individual, porque enquanto cada um de vocês decide Quem É e o experimenta, está fazendo isso coletivamente, como o ser coletivo co-criativo que é.

Eu Sou a experiência coletiva de todos vocês!

E o Senhor realmente não sabe quem será no momento seguinte?

Eu estava sendo despreocupado um minuto atrás. É claro que sei. Já conheço todas as suas decisões, por isso sei Quem Sou, Quem Sempre Fui e Quem Sempre Serei.

Como o Senhor pode saber o que eu vou escolher ser, fazer e ter no momento seguinte, e ainda mais o que toda a raça humana está escolhendo ser?

Isso é simples. Vocês já fizeram a escolha. Tudo que um dia serão, farão ou terão, já fizeram. Estão fazendo agora!

Está vendo? O tempo não existe.

Também já discutimos esse assunto antes.

É bom discutirmos de novo aqui.

Sim. Diga-me novamente como isso funciona.

O passado, o presente e o futuro são conceitos que vocês formularam, realidades que inventaram para criar um contexto no qual estruturaram sua experiência atual. Caso contrário, todas as suas (Nossas) experiências iriam se sobrepor.

Elas de fato se sobrepõem — isto é, acontecem ao mesmo "tempo" — só que vocês simplesmente não sabem disso.

Colocaram sua percepção dentro de uma concha que os impede de ver Toda a Realidade.

Eu expliquei isso detalhadamente no Livro II. Poderia ser bom relê-lo, para colocar dentro de um contexto o que está sendo dito aqui.

O que Eu quero que você entenda é que tudo acontece de uma vez. Tudo. Então sim, Eu realmente sei o que "serei", o que "sou" e o que "fui". Sei disso sempre. Isto é, de todos os modos.

E, portanto, não há um modo pelo qual você pode Me surpreender.

Sua história — todo o drama mundano — foi criada para que você pudesse saber Quem É em sua própria experiência. E também para ajudá-lo a se esquecer de Quem É, para poder se lembrar novamente de Quem é, e criá-lo.

Porque eu não posso *criar* quem sou se já o estou experimentando. Não posso criar-me com um metro e oitenta de altura se *já* tenho um metro e oitenta de altura. Tenho de ser *menos* alto — ou pelo menos *pensar que sou.*

Exatamente. Você compreendeu isso perfeitamente. E já que é o maior desejo da alma (de Deus) experimentar-Se como O Criador, e que tudo já foi criado, Nós não tínhamos outra escolha além de encontrar um modo de Nos esquecermos de tudo sobre Nossa criação.

É surpreendente o fato de o termos encontrado. Tentar "nos esquecermos" de que somos todos Um Só, e que o Um Só de nós que somos é Deus, deve ser como tentar nos esquecermos de que um elefante cor-de-rosa está na sala. Como pudemos ficar tão hipnotizados?

Bem, você mencionou o motivo secreto de toda a vida física. É a vida no plano físico que os hipnotizou tanto — e com razão, porque, afinal de contas, é uma aventura extraordinária!

O que Nós usamos aqui para Nos ajudar a esquecer é o que alguns de vocês chamariam de Princípio do Prazer.

A natureza superior de todo prazer é o aspecto do prazer que o faz criar Quem Realmente É em sua experiência, aqui e agora — e a recriar repetidamente Quem É no próximo nível mais elevado de magnificência. Esse é o prazer máximo de Deus.

A natureza inferior de todo prazer é a parte do prazer que o faz se esquecer de Quem Realmente É. Não condene a natureza inferior, porque sem ela não poderia experimentar a superior.

É quase como se os prazeres da carne a princípio nos fizessem esquecer de Quem Somos e depois se tornassem um caminho para a lembrança de Quem Somos!

Isso mesmo. E o uso do prazer como um caminho para a lembrança de Quem Você É é conseguido colocando-se em um nível mais elevado, através do corpo, a energia básica de toda a vida.

Essa é a energia que vocês às vezes chamam de "energia" sexual e é colocada em um nível mais elevado na coluna interior de seu ser, até atingir a área que vocês chamam de Terceiro Olho. Essa é a área logo abaixo da testa, entre os olhos e ligeiramente acima deles. Quando você coloca a energia em um nível mais elevado, a faz passar por todo o seu corpo. É como um orgasmo interior.

Como se faz isso?

Você "pensa nela subindo". Quero dizer literalmente. "Pensa nela subindo" o caminho interior do que vocês chamam de "chacras". Quando a energia vital é repetidamente colocada em um nível mais elevado, você adquire um gosto por essa experiência, da mesma forma que alguém adquire um gosto pelo sexo.

A experiência da energia sendo colocada em um nível mais elevado é muito sublime. Logo se torna a experiência mais desejada. Você nunca perde totalmente seu gosto pela energia em um nível menos elevado — pelas paixões básicas — e nem deveria tentar perdê-lo. Porque o que é mais elevado não pode existir sem o que é menos elevado em sua experiência — como Eu salientei muitas vezes. Quando você chega ao nível mais elevado, deve ir para o nível menos elevado para experimentar novamente o prazer de ir para o nível mais elevado.

Esse é o ritmo sagrado de toda a vida. Você faz isso não só movendo a energia dentro do seu corpo, mas também movendo-a ao redor da energia maior dentro do Corpo de Deus.

Vocês encarnam como formas inferiores, depois evoluem para estados de consciência superiores. Estão simplesmente colocando a energia em um nível mais elevado no Corpo de Deus. Vocês são essa energia. E quando chegam ao estado superior, experimentam-na plenamente e depois decidem o que querem experimentar a seguir e onde, na Esfera da Relatividade, desejam ir para experimentá-la.

Vocês podem desejar experimentar-se novamente se tornando seus "Eus" — essa é de fato uma experiência grandiosa — e então podem começar tudo de novo na Roda Cósmica.

Isso é o mesmo que "roda cármica"?

Não. Não existe uma "roda cármica". Não do modo que a imaginaram. Muitos de vocês a imaginaram como uma roda de moinho que gira exaustivamente como uma forma de reparar erros passados, tentando não cometer novos. É o que alguns chamam de "roda cármica". Isso não é muito diferente de algumas de suas teologias ocidentais, porque nos dois modelos vocês são vistos como pecadores indignos, tentando se purificar para atingir o próximo nível espiritual.

Por outro lado, Eu chamo de Roda Cósmica a experiência que descrevi aqui porque nela não existe indignidade, expiação de pecados, punição ou "purificação". A Roda Cósmica simplesmente descreve a realidade máxima, ou o que vocês poderiam chamar de cosmologia do Universo.

É o ciclo da vida, ou o que às vezes chamo de O Processo. É uma metáfora que descreve a natureza sem início e sem fim das coisas; o caminho que sempre leva a tudo, que a alma percorre alegremente por toda a eternidade.

É o ritmo sagrado da vida, no qual você move a Energia de Deus.

Puxa vida! Nunca ninguém me explicou essas coisas de uma forma tão simples! Acho que nunca entendi isso tão claramente.

Bem, a clareza é o que você queria experimentar. Era o objetivo deste diálogo. Portanto, estou feliz por tê-la conseguido.

Na verdade, não há um lugar "menos ou mais elevado" na Roda Cósmica. Como poderia haver? É uma *roda,* não uma *escada.*

Essa foi uma ótima comparação. Você entendeu isso muito bem. Então não condene o que chama de instintos inferiores, básicos, animais do homem, mas bendiga-os, honrando-os como o caminho através do qual você pode voltar para casa.

Isso livraria muitas pessoas da culpa que sentem em relação ao sexo.

Foi por esse motivo que Eu disse, brinquem, brinquem, brinquem com o sexo — e com toda a vida!

Misturem o que chamam de sagrado com sacrílego, porque enquanto virem seus altares como os últimos lugares para o amor e seus quartos como os últimos lugares para a adoração, não verão coisa alguma.

Vocês acham que o "sexo" é separado de Deus? Eu lhe digo que estou em seus quartos todas as noites!

Por isso vão em frente! Misturem o que chamam de profano e profundo — para poderem ver que não há diferença entre ambos, e os experimentarem como Um Só. Então quando continuarem a evoluir, não se verão renunciando ao sexo, mas simplesmente apreciando-o em um nível superior. Porque toda a vida *é S.E.X (*Synergistic Energy eXchange*).**

* Troca de Energias Sinérgicas. (N. da T.)

E se vocês entenderem isso em relação ao sexo, o entenderão em relação a tudo na vida, até mesmo ao fim da vida — o que chamam de "morte". No momento de sua morte, não se verão renunciando à vida, mas apenas apreciando-a em um nível mais elevado.

Quando vocês finalmente perceberem que não há separação no Mundo de Deus — isto é, nada que não é Deus — finalmente rejeitarão essa invenção do homem que chamaram de Satanás.

Se Satanás existe, existe como todos os pensamentos que vocês já tiveram de separação de Mim. Vocês não podem se separar de Mim, porque Eu Sou Tudo Que Existe.

Os homens inventaram o demônio para levar as pessoas a fazer o que eles queriam, sob a ameaça de separação de Deus. A condenação ao fogo eterno do inferno era a melhor tática para assustar. *Mas agora vocês não precisam mais sentir medo disso. Porque nada pode ou poderá separá-los de Mim.*

Vocês e Eu somos Um Só. Não podemos ser outra coisa se Eu Sou O Que Sou: Tudo Que Existe.

Então por que Eu iria Me condenar? E como faria isso? Como poderia Me separar de Mim Mesmo quando Meu Eu é Tudo Que Existe e não existe mais nada?

Meu objetivo é evoluir, não condenar; crescer, não morrer; experimentar, não deixar de experimentar. Meu objetivo é Ser, não parar de Ser.

Eu não tenho como Me separar de vocês — ou de qualquer coisa. O "Inferno" é simplesmente o desconhecimento disso. A "Salvação" é saber e compreender isso totalmente. Agora vocês estão salvos. Não precisam mais se preocupar com o que lhes acontecerá "depois da morte".

Capítulo 3

Podemos falar um pouco sobre a morte? O Senhor disse que este terceiro livro seria sobre verdades mais elevadas — universais. Bem, na conversa que tivemos até agora, não falamos muito sobre a morte e o que acontece depois dela. Vamos falar sobre isso agora.

Está certo. O que quer saber?

O que acontece quando a gente morre?

O que vocês escolhem que aconteça?

O Senhor quer dizer que o que acontece é o que escolhemos que aconteça?

Você acha que só porque morreram param de criar?

Eu não sei. É por isso que estou Lhe perguntando.

Sem dúvida. (Você sabe, mas vejo que esqueceu — o que é ótimo. Tudo está correndo de acordo com o plano.)

Quando você morre, não pára de criar. Isso está claro para você?

Sim.

Ótimo.

Agora, o motivo pelo qual você não pára de criar quando morre é que nunca morre. Não pode morrer. Porque é a própria vida. E a vida não pode não *ser vida. Portanto, você não pode morrer.*

Então, no momento da sua morte, o que acontece é que... você continua a viver.

É por esse motivo que muitas pessoas que "morreram" não acreditam nisso — porque não têm a experiência de estar mortas. Pelo contrário, sentem-se (porque estão) muito vivas. Por isso, há confusão.

O Eu pode ver o corpo deitado lá, todo encolhido, sem se mover, no entanto o Eu subitamente se move por toda parte. Muitas vezes tem literalmente a experiência de voar por todo o aposento — e então de estar em algum lugar no espaço, tudo de uma só vez. E quando deseja um determinado ponto de observação, vê-se experimentando-o.

Se a alma (o nome que agora daremos ao Eu) se perguntar "Por que o meu corpo não está se movendo?", se verá bem ali, pairando sobre o corpo, observando curiosamente sua imobilidade.

Se alguém entrar no aposento e a alma pensar "Quem é?", imediatamente ficará em frente, ou perto dessa pessoa.

Assim, em um período muito curto de tempo, a alma aprende que pode ir a qualquer lugar — com a velocidade do seu pensamento.

Ela se sente dominada por uma sensação incrível de liberdade e leveza, e geralmente demora um pouco para "se acostumar" com a movimentação que acompanha todos os seus pensamentos.

Se a pessoa teve filhos e pensar neles, imediatamente a alma fica em sua presença, seja onde for que estiverem. Dessa forma, aprende que não só pode estar onde quiser com a velocidade do seu pensamento, como também em dois, três ou cinco lugares ao mesmo tempo.

A alma pode existir, observar e realizar atividades nesses lugares ao mesmo tempo, sem dificuldade ou confusão. Então pode "se reunir", voltando a um lugar, simplesmente se concentrando.

A alma se lembra na vida futura do que seria bom se lembrar na vida atual. Todos esses efeitos são criados pelo pensamento, e essa manifestação é um resultado da intenção.

Aquilo em que eu tenho a intenção de me concentrar se torna a minha realidade.

Exatamente. A única diferença é a velocidade com a qual você experimenta o resultado. Na esfera física poderia haver um intervalo entre o pensamento e a experiência. Na espiritual não há intervalo; os resultados são imediatos.

As almas recém-desencarnadas aprendem a monitorar com muito cuidado seus pensamentos, porque tudo que pensam experimentam.

Eu uso a expressão "aprendem" mais como uma figura de linguagem do que como uma descrição real. A expressão "se lembram" seria mais adequada.

Se as almas encarnadas aprendessem a controlar seus pensamentos de modo tão rápido e eficiente quanto as desencarnadas, todas as suas vidas iriam mudar.

Na criação da realidade individual o controle do pensamento, ou o que alguns poderiam chamar de oração, é tudo.

Oração?

O controle do pensamento é a forma mais elevada de oração. Não habita na negatividade e na escuridão. E até mesmo nos momentos em que as coisas parecerem ir mal, só veja perfeição, só expresse gratidão, e só imagine qual manifestação de perfeição escolherá a seguir.

Nessa fórmula é encontrada a tranqüilidade. Nesse processo é encontrada a paz. Nessa consciência é encontrada a alegria.

Isso é extraordinário. Essa é uma ótima informação. Obrigado por dá-la através de mim.

Obrigado por Me permitir fazer isso. Algumas vezes você está "mais desobstruído" do que em outras. Em alguns momentos está mais aberto — como uma peneira que acabou de ser lavada, cujos orifícios estão mais abertos.

Esse é um bom modo de dizer isso.

Eu faço o melhor que posso.

Então, para recapitular: as almas recém-desencarnadas aprendem a monitorar com muito cuidado seus pensamentos, porque tudo que pensam experimentam.

Eu repito que ocorre o mesmo com as almas ainda encarnadas, exceto que os resultados em geral não são tão imediatos. E é o intervalo de "tempo" entre o pensamento e a criação — que pode ser de dias, semanas, meses ou até mesmo anos — que cria a ilusão de que as coisas estão acontecendo com *você, não por sua causa.* Essa é uma ilusão *que o faz* se esquecer de que é a causa do que está acontecendo.

Como Eu já disse várias vezes, esse esquecimento é "inerente ao sistema". É parte do processo. Porque você só pode criar Quem É quando se esquece de Quem É. Por esse motivo, a ilusão que causa o esquecimento é um efeito criado propositalmente.

Então, quando você deixa seu corpo, fica muito surpreso ao constatar a ligação imediata e óbvia entre seus pensamentos e suas criações. No início, essa constatação será um choque e depois uma surpresa muito agradável, quando você começar a se lembrar de que é a causa, não o efeito da criação de sua experiência.

Por que há um intervalo tão grande entre o pensamento e a criação *antes* de morrermos? Esse intervalo não existe depois que morremos?

Porque vocês operam com a ilusão do tempo. Não há um intervalo entre o pensamento e a criação fora do corpo, porque vocês também estão fora do parâmetro do tempo.

Em outras palavras, como o Senhor já disse tantas vezes, o tempo não existe.

Não como vocês o compreendem. O fenômeno do "tempo" é realmente uma função da perspectiva.

Por que o tempo existe quando nossas almas estão encarnadas?

Vocês o fizeram existir adotando sua perspectiva atual. Usam-na como uma ferramenta com a qual podem explorar e examinar suas experiências mais plenamente, separando-as em partes individuais, em vez de considerá-la uma ocorrência única.

A vida é uma coisa única no cosmos que está ocorrendo agora. *Toda ela está ocorrendo. Em toda parte.*

Não há outro "tempo" além do agora. *Não há outro "lugar" além do* aqui.

O aqui e o agora é Tudo Que Existe.

Contudo, vocês escolheram experimentar a magnificência do aqui e agora em todos os seus detalhes, e experimentar seus "Eus" Divinos como os criadores aqui e agora dessa realidade. Só há dois modos — dois campos de experiência — pelos quais poderiam fazer isso. O tempo e o espaço.

Esse pensamento foi tão maravilhoso que vocês literalmente explodiram de prazer!

E nessa explosão foi criado o espaço entre suas partes e o tempo necessário para passar de uma parte para a outra.

Dessa forma, vocês literalmente se separaram *para olhar para suas partes. Poderia-se dizer que estavam tão felizes que "se desintegraram".*

Desde então estão juntando seus pedaços.

É assim que a minha vida é! Estou juntando meus pedaços, tentando ver se fazem algum sentido.

E é através do mecanismo chamado de tempo que vocês conseguiram separar os pedaços — dividir o indivisível — para vê-los e experimentá-los mais plenamente, enquanto os estão criando.

Quando vocês olham para um objeto sólido através de um microscópio, percebem que não é de forma alguma sólido, mas um conjunto de milhões de efeitos diferentes — de coisas diferentes que acontecem ao mesmo tempo, criando assim o efeito maior. Da mesma forma, usam o tempo como o microscópio de suas almas.

Pense sobre a Parábola da Pedra.

Era uma vez uma Pedra, cheia de inúmeros átomos, prótons, nêutrons e partículas subatômicas de matéria. Essas partículas sempre se movimentavam rapidamente, cada uma delas indo "da-

qui para lá" e levando "tempo" para fazer isso, mas fazendo-o tão rápido que a própria Pedra não parecia estar se movendo. Apenas era *uma pedra. Ficava absorvendo a água da chuva, secando ao Sol e sem se mover.*

"O que é isso dentro de mim, esse movimento?", perguntou-se.

"É Você", respondeu uma Voz Distante.

"Eu?", disse a Pedra. "Isso é impossível. Eu não estou me movendo. Qualquer um pode ver isso."

"Sim, de longe*", concordou a Voz. "Daqui você parece sólida, mas imóvel. Mas quando eu me aproximo — quando observo atentamente o que está acontecendo — vejo que tudo Que Você É está* se movendo. *Está se movendo a uma velocidade incrível através do tempo e do espaço em um padrão particular que a* cria *como o que é chamado de 'Pedra'. E, portanto, você é mágica! Está ao mesmo tempo se movendo e* imóvel."

"Mas qual é a ilusão? A unicidade, a imobilidade da Pedra, ou a separação e o movimento de Suas partes?", perguntou a Pedra.

Ao que a Voz respondeu: "Qual é a ilusão? A unicidade, a imobilidade de Deus? Ou a separação e o movimento de Suas partes?"

E Eu lhe digo que sobre essa Pedra, construirei Minha Igreja. Porque essa é a Pedra dos Tempos. É a verdade eterna que não deixa uma só pedra sem ser virada. Eu lhe expliquei tudo isso aqui, nesta parábola. Isso é a Cosmologia.

A vida é uma série de pequenos movimentos rápidos. Esses movimentos não afetam de forma alguma a imobilidade e Existência de Tudo Que Existe. Entretanto, como ocorre com os átomos da pedra, é o movimento que cria a imobilidade, bem diante de seus olhos.

Dessa distância, não há separação. Não pode haver, porque Tudo Que Existe é Tudo Que Há, e não há mais nada. *Eu sou o Movedor Imóvel.*

Da perspectiva limitada da qual vocês vêem Tudo Que Existe, vêem-se como separados e afastados, não como um único ser imóvel, mas muitos, muitos seres constantemente em movimento.

Ambas as observações são certas. Ambas as realidades são "reais".

E quando eu "morrer" não morrerei de forma alguma, mas simplesmente passarei a ter a consciência do macrocosmo — onde não há "tempo" ou "espaço", presente e futuro, antes e depois.

Exatamente. Você entendeu isso muito bem.

Deixe-me ver se consigo repeti-lo para o Senhor. Se posso descrevê-lo.

Vá em frente.

De uma perspectiva macro, não existe separação, e "olhando de lá" todas as partículas de tudo apenas parecem o Todo.

Quando você olha para a pedra a seus pés a vê ali nesse momento como inteira, completa e perfeita. Contudo, até mesmo na fração de um minuto em que tem consciência dessa pedra, há muitas coisas acontecendo dentro dela — há um movimento incrível, em uma velocidade incrível, de suas partículas. E o que essas partículas estão fazendo? Estão tornando a pedra o que ela é.

Ao olhar para a pedra, você não vê esse processo. Até mesmo se tem conceitualmente consciência dele, para você tudo está acontecendo "agora". A pedra não está *se tornando* uma pedra; *é* uma pedra, aqui e agora.

Todavia, se você fosse a consciência de uma das partículas submoleculares da pedra se experimentaria movendo-se em uma grande velocidade, primeiro "aqui" e depois "lá". E se alguma voz dentro da pedra lhe dissesse: "Tudo está acontecendo de uma vez", diria que era de um mentiroso ou charlatão.

Ainda assim, de uma perspectiva distante, a idéia de que qualquer parte dela é separada das outras e, além disso, move-se em uma grande velocidade, poderia parecer uma mentira. Dessa distância poderia ser visto o que não poderia ser visto de perto — que tudo é Um Só, e que todo movimento *não mudou coisa alguma.*

É isso mesmo. O que você está dizendo — e está certo — é que toda a vida é uma questão de perspectiva. Se continuar a entender essa verdade, começará a entender a realidade macro de Deus. E terá descoberto um segredo de todo o Universo: tudo é a mesma coisa.

O Universo é uma molécula do corpo de Deus!

É praticamente isso.

E é para a realidade macro que retornamos na consciência quando realizamos o ato chamado de "morrer"?

Sim. Contudo, até mesmo a realidade macro para a qual vocês retornam não é nada além de uma realidade micro *de uma* realidade macro ainda maior, *que é uma parte menor de uma realidade* imóvel *maior, e assim por diante, eternamente.*

Nós sempre somos Deus — "Aquele Que É" — no ato de criar Nossos "Eus", no ato de ser o que somos agora... até não sermos mais isso, mas nos tornarmos outra coisa.

Até mesmo a pedra não será para sempre uma pedra, mas apenas o que "parece ser para sempre uma pedra". Antes de o ser, era outra coisa. Fossilizou-se naquela pedra, através de um processo que durou centenas de milhares de anos. Um dia foi outra coisa e o será de novo.

O mesmo é verdadeiro em relação a vocês. Não foram sempre quem são agora. Foram outra coisa. E hoje, em sua total magnificência, são realmente... "outra coisa de novo".

Isso é surpreendente! Nunca ouvi nada desse tipo. O Senhor resumiu toda a cosmologia da vida em termos que eu posso compreender. É surpreendente!

Bem, obrigado. Eu faço o melhor que posso.

Diabos me levem se o Senhor não estiver fazendo um trabalho danado de bom.

Essa provavelmente não é a frase que você deveria ter escolhido.

Oops.

Eu estou apenas brincando. Tornando as coisas mais descontraídas aqui. Divertindo-me um pouco. Na verdade, não posso ser "ofendido". Porém, seus colegas humanos freqüentemente se permitem ser ofendidos em Meu nome.

Já percebi isso. Mas voltando ao que estávamos falando, acabei de me dar conta de uma coisa.

O que é?

Toda essa explicação foi dada quando eu Lhe perguntei como o tempo existe quando a alma está encarnada, mas não quando está desencarnada. E o que o Senhor parece estar dizendo é que o "tempo" é, na verdade, uma *perspectiva;* que não "existe" e nem "deixa de existir", mas que quando a alma muda sua perspectiva, experimentamos a realidade máxima de modos diferentes.

É exatamente isso o que Eu estou dizendo!

E o Senhor estava explicando que no *macrocosmo* a alma tem *consciência* da *relação direta* entre *o pensamento e a criação;* entre as idéias da pessoa e sua experiência.

Sim. No nível macro, isso é como ver a pedra e o movimento dentro dela. Não há "tempo" entre o movimento dos átomos e a aparência que a pedra cria. A pedra "é", mesmo quando os movimentos ocorrem. De fato, porque *ocorrem. Essa causa e esse efeito são imediatos. O movimento está ocorrendo e a pedra está "sendo" ao "mesmo tempo".*

É isso que a alma percebe no momento em que você chama de "morte". É simplesmente uma mudança de perspectiva. Você vê mais, por isso compreende mais.

Após a morte, não está mais limitado em sua compreensão. Vê a pedra e dentro *dela. Vê o que agora parecem ser os aspectos mais complexos da vida e diz: "É claro." Tudo é muito claro para você.*

Então terá de refletir sobre novos mistérios. Ao se mover ao redor da Roda Cósmica, haverá realidades cada vez mais amplas — maiores.

Contudo, se você puder se lembrar dessa verdade — de que sua perspectiva cria seus pensamentos, e seus pensamentos criam tudo — e se lembrar disso antes, não depois de deixar o seu corpo, toda a sua vida mudará.

E o modo de controlar seus pensamentos é mudar sua perspectiva.

Sim. Adote uma perspectiva diferente e terá um pensamento diferente sobre tudo. Desse modo aprenderá a controlar seu pensamento. E, na criação de sua experiência, o pensamento controlado é tudo.

Algumas pessoas chamam isso de oração constante.

O Senhor já disse isso, mas acho que nunca pensei na oração desse modo.

Por que não ver o que acontece se você vê? Se imaginasse que o controle e direcionamento de seus pensamentos é a forma mais elevada de oração, só pensaria em coisas boas e justas. Não habitaria na negatividade e escuridão, embora pudesse estar imerso nelas. E até mesmo nos momentos em que as coisas parecessem ir mal — talvez especialmente nesses momentos — só veria perfeição.

O Senhor está sempre repetindo isso.

Eu estou lhe dando ferramentas. Com elas pode mudar sua vida. Estou falando repetidamente sobre as mais importantes delas, porque a repetição produzirá o reconhecimento — o "conhecer novamente" — quando mais você precisa disso.

Tudo que ocorre, ocorreu, está ocorrendo e ocorrerá é a manifestação física externa de suas reflexões, escolhas, idéias e decisões a respeito de Quem É e Quem Escolhe ser. Portanto, não condene os aspectos da vida dos quais discorda, mas tente mudá-los e mudar as condições que os tornaram possíveis.

Contemple a escuridão, mas não a amaldiçoe. Em vez disso, seja uma luz na escuridão, dessa forma transformando-a. Deixe sua luz brilhar tanto diante dos homens para que aqueles que estão na escuridão sejam iluminados por ela, e todos vocês finalmente verão Quem Realmente São.

Seja Aquele Que Traz a Luz. Porque sua luz pode fazer mais do que iluminar seu próprio caminho. Pode realmente iluminar o mundo.

Portanto brilhe, ó Iluminado! Brilhe! Que o momento de sua maior escuridão possa se tornar seu maior dom. E quando tiver esse dom, poderá concedê-lo às outras pessoas, dando-lhes um tesouro indescritível: elas próprias.

Deixe que essa seja sua missão e sua maior alegria: devolver as pessoas a si mesmas. Até mesmo em seus momentos mais sombrios. Especialmente nessas horas.

O mundo espera por você. Coloque-o em bom estado. Agora. No lugar em que está. Há muito que pode fazer.

Porque Minhas ovelhas estão perdidas e agora precisam ser encontradas. Dessa forma, seja um bom pastor e as conduza de volta a Mim.

Capítulo 4

Obrigado. Obrigado por este convite e este desafio. Por colocar o objetivo diante de mim. Por sempre me manter no rumo que sabe que quero tomar. É por esse motivo que estou na Sua presença — que tenho adorado e bendito este diálogo. Porque é conversando com o Senhor que encontro o Divino dentro de mim e começo a vê-lo em todas as outras criaturas.

Meu querido, os céus se regozijam quando você diz isso. Esse é o motivo pelo qual Eu estou na sua presença e estarei na de todos que Me procurarem. Como estou agora na presença daqueles que estão lendo estas palavras. Porque nunca desejei ter esta conversa apenas com você, mas com milhões de pessoas em todo o mundo. E este livro foi colocado nas mãos de cada uma dessas pessoas exatamente quando precisavam dele, às vezes dos modos mais miraculosos. Trouxe-lhes a sabedoria que elas próprias buscavam — perfeitamente adequada para este momento em suas vidas.

Esse é o milagre do que tem acontecido aqui: cada um de vocês está produzindo sozinho este resultado. "Parece que" outra pessoa lhes colocou nas mãos este livro e os fez iniciar este diálogo, contudo vocês chegaram até aqui.

Então vamos esclarecer juntos as outras dúvidas que você tem em seu íntimo.

Capítulo 5

Agora eu gostaria de mudar de assunto e falar sobre as mudanças na Terra. Mas antes, gostaria de fazer uma observação. Às vezes acho que estou ouvindo as mesmas coisas repetidamente.

E está! Como Eu já disse, isso é proposital.

Esta mensagem é como uma mola. Quando está enrolada, forma círculos sobrepostos. Um cobre o outro e a mola parece literalmente "mover-se em círculos". Apenas quando está desenrolada dá para perceber que se estica mais do que seria possível imaginar.

Sim, você está certo. Grande parte do que está sendo dito aqui foi dito inúmeras vezes, de modos diferentes. Às vezes do mesmo *modo. Sua observação está correta.*

Quando você acabar de receber esta mensagem, poderá repetir suas partes mais importantes praticamente palavra por palavra. Um dia, talvez, queira fazer isso.

Está bem. Agora, seguindo *em frente*, muitas pessoas parecem achar que eu tenho uma "comunicação direta com Deus", e querem saber se nosso planeta está condenado a sofrer mudanças. Eu já Lhe perguntei isso, mas agora realmente gostaria de uma resposta objetiva. As mudanças na Terra ocorrerão, como muitos estão prevendo? E se não ocorrerem, o que todos esses sensitivos estão tendo?

Visões irreais? Deveríamos estar rezando? Mudando? Há algo que possamos fazer? Ou infelizmente tudo isso é inevitável?

Eu ficarei feliz em responder a essas perguntas, mas não estaremos "seguindo em frente".

Não?

Não, porque as respostas para elas já lhe foram dadas em Minhas várias explicações anteriores do tempo.

O Senhor quer dizer, na parte em que afirma que "tudo que irá acontecer já aconteceu"?

Sim.

Mas o que é "tudo que já aconteceu?" Como aconteceu? *O que* aconteceu?

Tudo já aconteceu. Todas as possibilidades existem como fatos ocorridos.

Como isso é possível? Eu continuo sem compreender.

Eu vou falar em termos que você possa compreender melhor. Veja se isso o ajuda. Você já viu crianças usando um CD-ROM para jogar um videogame?

Sim.

Já se perguntou como o computador sabe reagir a cada movimento que a criança faz com o mouse*?*

Sim, na verdade me perguntei.

Está tudo no disco. *O computador sabe como reagir a cada movimento porque cada movimento possível já foi colocado no disco,* junto com sua reação apropriada.

Isso é fantástico. Quase surreal.

O quê? O fato de todos os finais e caminhos que levam a eles já estarem programados no disco? Não há nada de "fantástico" nisso. É apenas tecnologia.

E se você acha que a tecnologia dos videogames é fantástica, espere até ver a tecnologia do Universo*!*

Pense na Roda Cósmica como esse CD-ROM. Todos os finais já existem. O Universo está apenas esperando para ver qual você escolhe desta vez. *E quando o jogo terminar, se ganhar, perder ou empatar, o Universo perguntará: "Quer jogar novamente?"*

Para seu disco de computador, tanto faz se você ganha ou não. Você não pode "ferir seus sentimentos". Ele só lhe oferece uma chance de jogar de novo. Todos os finais já existem, e o final que você experimenta depende das escolhas que faz.

Então Deus não passa de um CD-ROM?

Eu não diria exatamente isso. Mas em todo este diálogo tenho tentado usar exemplos que englobam conceitos que todos podem compreender. Por isso acho bom o exemplo do CD-ROM.

De várias maneiras, a vida é como um CD-ROM. Todas as possibilidades existem e já ocorreram. Mas você precisa escolher qual deseja experimentar.

Isso está diretamente relacionado com sua pergunta sobre as mudanças na Terra.

O que muitos dos sensitivos estão dizendo sobre essas mudanças é verdade. Eles abriram uma janela para o "futuro", e o viram. A questão é: que *futuro viram? Como ocorre com o final do jogo do CD-ROM,* há mais de uma versão.

Em uma delas, a Terra passará por uma revolução. Em outra, não.

Na verdade, todas *as versões* já aconteceram. *Lembre-se de que o tempo...*

Eu sei, eu sei. "O tempo não existe".

Certo. E então?

Então tudo acontece de uma só vez.

Certo novamente. Tudo que já aconteceu, está acontecendo e acontecerá, existe neste momento. Assim como todos os movimentos no jogo de computador existem neste momento, naquele disco. Portanto, se você achar que seria interessante as previsões para o Dia do Juízo Final se realizarem, concentre sua atenção nisso, e será esse o resultado que obterá. E se achar que gostaria de experimentar uma realidade diferente, concentre-se nisso, e será esse o resultado que obterá.

Então o Senhor não vai me dizer se haverá mudanças na Terra, não é?

Eu estou esperando que você Me diga. Você decidirá isso, através de seus pensamentos, suas palavras e suas ações.

Eu não estou aqui para prever seu futuro e não o farei. Mas uma coisa posso lhe dizer. Qualquer um *pode lhe dizer. Se você não tomar cuidado, chegará exatamente onde está indo. Mas se não gostar do rumo que tomou,* mude-o.

Como mudá-lo? Como posso influir em um resultado tão amplo? O que *deveríamos* fazer diante de todas essas previsões de desastre feitas por "autoridades" nos campos psíquico e espiritual?

Vá para dentro de si mesmo. Procure sua sabedoria interior. Veja o que ela lhe diz para fazer. Então faça.

Se ela lhe disser para escrever para políticos e empresários, pedindo-lhes que tomem providências a respeito dos abusos que estão sendo cometidos contra o meio ambiente que poderiam levar a mudanças na Terra, escreva. E se lhe disser para apenas seguir seu caminho, irradiando energias positivas e não deixando aqueles que o cercam entrarem em pânico, o que poderia acarretar *um problema, siga-o.*

O mais importante de tudo é não ter medo. Você não pode "morrer", portanto não há do que ter medo. Tenha consciência do Processo se realizando e saiba que tudo ficará bem com você.

Tente ver a perfeição de todas as coisas. Saiba que você estará exatamente onde tem de estar para experimentar exatamente o que escolhe ao criar Quem Realmente É.

Esse é o caminho para a paz. Em todas as coisas veja a perfeição.

Finalmente, não tente "resistir" a coisa alguma. Aquilo a que você resiste, persiste. Eu lhe disse isso no primeiro livro, e é verdade.

As pessoas que ficam tristes com o que "vêem" no futuro não estão conseguindo "ver a perfeição".

Mais algum conselho?

Celebre! Celebre a vida! Celebre o Eu! Celebre as previsões! Celebre Deus!

Celebre! Participe do jogo.

Traga alegria para o momento, não importa o que o momento pareça trazer, porque Você É e Sempre Será alegria.

Deus não pode criar nada imperfeito. Se você acha que pode, então não sabe nada sobre Deus.

Por isso celebre. Celebre a perfeição! Sorria, celebre e só veja a perfeição, e o que os outros chamam de imperfeição não o atingirá de nenhum modo que é imperfeito para você.

O Senhor quer dizer que eu posso evitar que o eixo da Terra mude de posição, que nosso planeta seja atingido por um meteoro ou destruído por terremotos?

Você pode evitar ser atingido negativamente por qualquer uma dessas coisas.

Não foi isso que eu perguntei.

Mas foi isso que Eu respondi. Enfrente o futuro sem medo, compreendendo O Processo e vendo toda a sua perfeição.

Essa paz, essa serenidade, essa calma o afastarão da maioria das experiências e dos resultados que os outros chamariam de "negativos".

Capítulo 6

Por favor, o Senhor pode me falar um pouco sobre a alma?

Sim. Eu tentarei explicá-la, dentro da sua esfera de compreensão limitada. Mas não fique frustrado se certas coisas não "fizerem sentido" para você. Tente se lembrar de que está fazendo essas informações passarem por um filtro único — que você criou para evitar muitas lembranças.

Ajude-me a lembrar novamente do motivo pelo qual fiz isso.

O jogo estaria terminado se você se lembrasse de tudo. Você veio aqui com um motivo específico e não poderia atingir seu Objetivo Divino se compreendesse como tudo é reunido. Algumas coisas sempre continuarão a ser um mistério nesse nível de consciência, e devem assim prosseguir.

Por isso, não tente esclarecer todos os mistérios. Nunca, de modo algum. Dê ao Universo uma chance. Ele se revelará no devido tempo.

Aprecie a experiência de vir-a-ser.

Devo ir com calma.

Exatamente.

Meu pai costumava dizer isso.

Seu pai era um homem sábio e maravilhoso.

Poucas pessoas o descreveriam assim.

Poucas pessoas o conheciam.

Minha mãe o conhecia.

Sim, conhecia.

E ela o amava.

Sim, amava.

E ela o perdoou.

Sim, perdoou.

Por todos os seus comportamentos que a magoaram.

Sim. Ela o compreendeu, amou e perdoou, e por isso foi e é um modelo maravilhoso, uma mestra abençoada.

Sim. Então ... o Senhor poderia me falar sobre a alma?

O que quer saber?

Vamos começar com a primeira pergunta, a mais óbvia. Eu já sei a resposta, mas ela nos fornece um ponto de partida. A alma humana existe?

Sim. É o terceiro aspecto do seu ser. Você é um ser trino, feito de corpo, mente e espírito.

Eu sei onde meu corpo está; posso vê-lo. E acho que sei onde minha mente está — na parte do meu corpo que chamo de minha cabeça. Mas acho que não sei onde está...

Espere um minuto. Você está errado em relação a uma coisa. Sua mente não está em sua cabeça.

Não?

Seu cérebro *está em sua cabeça. Sua mente não.*

Então onde está minha mente?

Em todas as células do seu corpo.

Uau!

O que você chama de mente na verdade é uma energia. É... o pensamento. E o pensamento é uma energia, não um objeto.

Seu cérebro é um objeto. É um mecanismo físico, bioquímico, o maior e mais sofisticado — mas não o único — do corpo humano, através do qual o corpo transforma a energia que é seu pensamento em impulsos físicos. Seu cérebro é um transformador. Como todo o seu corpo. Você tem pequenos transformadores em todas as células. Os bioquímicos freqüentemente observaram que células individuais — como por exemplo, as do sangue — parecem ter uma vontade própria. De fato têm.

Isso vale não só para as células, como para partes maiores do corpo. Todos os homens do planeta têm conhecimento de uma parte de seus corpos que costuma parecer ter vontade própria...

Sim e todas as mulheres sabem o quanto os homens se tornam ridículos quando deixam essa parte influenciar suas escolhas e decisões.

Algumas mulheres usam esse conhecimento para controlá-los.

Isso é inegável. E alguns homens controlam as mulheres através das escolhas e decisões tomadas sob a influência dessa parte.

Isso é inegável.

Quer saber como acabar com todo esse controle?

É claro que sim!

Quando suas escolhas e decisões partem de um lugar maior do que o limitado que você descreveu, é impossível as mulheres o controlarem, e você nunca tentaria controlá-las.

O único motivo pelo qual as mulheres recorrem a esse meio de manipulação e controle é que não parece haver outros meios de controle — pelo menos não tão eficazes — e sem alguns deles os homens freqüentemente se tornam... incontroláveis.

Contudo, se os homens demonstrassem mais a sua natureza superior, e se as mulheres apelassem mais para essa parte deles, a chamada "guerra dos sexos" estaria terminada. Como o estariam a maioria dos outros tipos de guerra em seu planeta.

Como Eu já disse, isso não significa que os homens e as mulheres deveriam renunciar ao sexo, ou que o sexo é parte de uma natureza humana inferior. Significa que a energia sexual sozinha, quando não é elevada até os chacras superiores e combinada com outras energias que tornam uma pessoa inteira, produz escolhas e resultados que não refletem *a pessoa inteira. E, portanto, perdem sua magnificência.*

Sua Totalidade é em si magnificência, mas tudo que é menos que ela é menos magnificente. Assim sendo, se quiser produzir uma escolha ou um resultado menos magnificente, tome uma decisão a partir de apenas seu chacra básico. Então observe os resultados.

Eles são tão previsíveis quanto podem ser.

Hmmm. Acho que eu sabia disso.

É claro que sabia. A pergunta mais ampla com que depara a raça humana não é quando aprenderá, mas quando agirá de acordo com o que já aprendeu?

Então a mente está em todas as células...

Sim. E há mais células em seu cérebro do que em qualquer outra parte do seu corpo, por isso parece que sua mente está ali. Todavia, esse é apenas o centro principal de processamento, não o único.

Eu entendi. Então onde está a alma?

Onde você acha que está?

Por trás do Terceiro Olho?

Não.

No meio do meu peito, à direita do meu coração, logo abaixo do meu esterno?

Não.

Está bem. Eu desisto.

Está em toda parte.

Em toda parte?

Como a mente.

Sim.

Espere um minuto! A mente não está em toda parte.

Não? Eu achei que o Senhor tinha acabado de dizer que está em todas as células do corpo.

Isso não é "em toda parte". Há espaços entre as células. De fato, seu corpo é 99% espaço.

É aí que a alma está?

A alma está em toda parte, *dentro, através e ao redor de você. É o que o* contém.

Espere um minuto! Agora o *Senhor* espere um minuto! Sempre me ensinaram que o corpo é o receptáculo da alma. E quanto à afirmação de que "seu corpo é o templo do seu ser"?

Essa é uma figura de linguagem que ajuda as pessoas a compreender que são mais do que seus corpos; que há algo maior do que elas. E há. Literalmente. A alma é maior do que o corpo. *Não é o corpo que a contém, mas* ela *que o contém.*

Estou ouvindo o Senhor, mas ainda tenho dificuldade em entender o que diz.

Você já ouviu falar em "aura"?

Sim. *Sim.* A aura *é* a alma?

Isso é o mais perto da verdade que podemos chegar, usando sua linguagem, para dar-lhe uma idéia de uma realidade enorme e complexa. A alma é o que os mantém unidos — assim como a Alma de Deus é o que contém o Universo e o mantém unido.

Puxa vida! Isso é o inverso de tudo que eu já pensei.

Meu filho, as inversões apenas começaram.

Mas se a alma é, em certo sentido, o "ar dentro e ao redor de nós", e se a alma de todas as pessoas é igual, onde uma alma *termina* e a outra começa?

Ah, não me diga, não me diga...

Está vendo? Você já sabe a reposta!

Não há um lugar onde outra alma "termina" e a nossa "começa"! Assim como não há um lugar onde o ar da sala de estar "termina" e o da sala de jantar "começa". É tudo *o mesmo ar. A mesma alma!*

Você acabou de descobrir o segredo do Universo.

E se o Senhor contém o *Universo,* assim como nós contemos nossos corpos, então não há um lugar onde o *Senhor* "termina" e "*nós*" começamos!

(Pigarreando)

Pode pigarrear quanto quiser. Para mim essa é uma revelação miraculosa! Quero dizer, eu achei que sempre havia compreendido... mas agora *compreendo* isso!

O que é ótimo, não?

Veja bem, minha dificuldade em compreender isso no passado tinha a ver com o fato de que o corpo é um receptáculo distinto que torna possível diferenciar "este" e "aquele" corpo, e como eu sempre pensei que o corpo continha a alma, sempre diferenciei "esta" e "aquela" alma.

É natural que sim.

Mas se a alma está em toda parte dentro *e fora* do corpo — na "aura", como o Senhor diz — então quando uma aura "termina" e a outra "começa"? E agora posso realmente ver, pela primeira vez, em *termos físicos*, como é possível que uma alma *não* "termine" e outra "comece", e que é *fisicamente verdade* que Somos Todos Um Só!

Muito bem! Isso é tudo que posso dizer. Muito bem!

Eu sempre achei que essa era uma verdade *meta*física! Agora vejo que é *física*! A religião se tornou ciência!

Não diga que Eu não lhe falei isso.

Mas se não há um lugar em que uma alma termina e outra começa, isso significa que não há uma alma individual?

Bem, sim e não.

Uma resposta digna de Deus.

Obrigado.

Mas francamente, eu esperava mais clareza.

Espere um pouco. Estamos indo tão rápido que sua mão está doendo de tanto escrever.

O Senhor quer dizer, de escrever rapidamente.

Sim. Então vamos tomar fôlego aqui. Relaxe. Vou lhe explicar tudo isso.

Está bem. Vá em frente. Estou pronto.

Você se lembra de que Eu lhe falei muitas vezes sobre o que chamei de Dicotomia Divina?

Sim.

Bem, essa é uma delas. De fato, a maior.

Estou vendo.

É importante aprender sobre a Dicotomia Divina e compreendê-la bem para viver feliz em nosso Universo.

A Dicotomia Divina torna possível duas verdades aparentemente contraditórias existirem simultaneamente no mesmo espaço.

Em seu planeta, as pessoas acham difícil aceitar isso. Apreciam a ordem, e tudo que não se encaixa em seu quadro é automaticamente rejeitado. Por esse motivo, quando duas realidades começam a se afirmar e parecem contraditórias, a suposição imediata é a de que uma delas é falsa. É preciso muita maturidade para ver e aceitar que de fato ambas poderiam ser verdadeiras.

Contudo, na esfera do absoluto — oposta à do relativo, em que vocês vivem — está muito claro que a única verdade que é Tudo Que Existe, às vezes, produz um efeito que, visto em termos relativos, parece uma contradição.

Isso é chamado de Dicotomia Divina e é uma parte muito real da experiência humana. E como Eu já disse, é praticamente impossível viver feliz sem aceitá-la. A pessoa fica sempre resmungando, zangada, aflita, buscando em vão "justiça" ou tentando muito conciliar forças opostas que nunca deveriam ser conciliadas mas que, pela própria natureza da tensão entre elas, *produzem exatamente o efeito desejado.*

De fato, a esfera do relativo é mantida coesa por essas tensões. Como, por exemplo, a tensão entre o bem e o mal. Na realidade máxima o bem e o mal não existem. Na esfera do absoluto, tudo que existe é o amor. Entretanto, na esfera do relativo vocês criaram a experiência do que "chamam" de mal, por um motivo justo. Queriam experimentar *o amor, não apenas "saber" que o amor é Tudo Que Existe, e não podiam experimentar algo quando não havia nada além disso. E então criaram em sua realidade (e continuam a fazer isso todos os dias) uma polaridade do bem e do mal, usando um para poder experimentar o outro.*

E aqui temos uma Dicotomia Divina — duas verdades aparentemente contraditórias existindo simultaneamente no mesmo espaço. Especificamente:

O bem e o mal não existem.

O amor é tudo que existe.

Obrigado por me explicar isso.

De nada.

E, como Eu disse, a maior Dicotomia Divina é a que estamos examinando agora.

Só existe Um Único Ser e, portanto, Uma Única Alma. E *há muitas almas no Único Ser.*

Eis como a dicotomia funciona: Eu acabei de lhe explicar que não existe separação entre as almas. A alma é a energia da vida que existe (como a aura*) dentro e ao redor de todos os objetos físicos. Em certo sentido, é o que "mantém" todos os objetos físicos no lugar. A "Alma de Deus" contém o Universo, a "alma do homem" contém o corpo humano de cada indivíduo.*

O corpo não é um receptáculo, uma "morada" para a alma; a alma é um receptáculo para o corpo.

Isso mesmo.

Não há uma "linha divisória" entre as almas — não há um lugar em que "uma alma" termina e "outra" começa. E portanto, uma só alma contém todos os corpos.

Certo.

Contudo, a única alma "parece" um conjunto de almas individuais.

Sim, parece, e é para ser dessa maneira.

Pode me explicar como isso funciona?

Sim.

Embora não haja separação entre as almas, é verdade que a matéria de que é feita a Única Alma se manifesta na realidade física em velocidades diferentes, produzindo graus de densidade diferentes.

Velocidades diferentes? O que a velocidade tem a ver com isso?

Toda a vida é uma vibração. O que você chama de vida (que também poderia chamar de Deus) é pura energia. Essa energia vibra constantemente. Move-se em ondas. *As ondas vibram em velocidades diferentes, produzindo graus diferentes de densidade ou luz. Por sua vez, isso produz o que você chamaria de "efeitos" diferentes no mundo físico — na verdade, objetos físicos diferentes. No entanto, embora os objetos sejam diferentes e distintos, a energia que os produz é a mesma.*

Deixe-Me voltar ao exemplo que você usou do ar de sua sala de estar e sua sala de jantar. Foi um ótimo exemplo. Uma inspiração.

Adivinhe de onde veio?

Eu sei. De Mim. Você disse que não havia um lugar em que o ar da sala de estar "terminava" e o da sala de jantar "começava". E isso é verdade. Todavia, há *um lugar em que o "ar da sala de estar" se torna* menos denso. *Isto é, mais "rarefeito". Ocorre o mesmo com o "ar da sala de jantar". Quanto mais você se afasta dela, menos sente o cheiro da comida!*

O ar da casa *é o* mesmo ar. *Não há "ar separado" na sala de jantar. Porém, lá o ar realmente* parece *"outro". Porque tem um cheiro diferente!*

Como o ar passou a ter características *diferentes, parece que é um* ar diferente. *Na sala de estar você sente o cheiro da lareira, na sala de jantar sente o cheiro da comida. Você poderia até mesmo entrar em um cômodo e dizer, "Nossa, como está abafado aqui.* Vamos abrir as janelas para o ar entrar", *como se não houvesse ar algum ali. E é claro que há muito ar. O que você está querendo fazer é mudar suas características.*

Então você abre as janelas para o ar entrar. Mas o ar que vem de fora também é o mesmo. *Há apenas um ar entrando, envolvendo* tudo.

Eu entendi. Adoro quando o Senhor fala sobre o Universo de uma maneira que me faz entender muito bem o que está dizendo.

Obrigado. É o que Eu estou tentando fazer aqui. Então deixe-Me continuar.

Por favor, continue.

Como o ar em sua casa, a energia da vida — o que chamaremos de a "Alma de Deus" — assume características variadas ao envolver objetos físicos diferentes. De fato, essa energia se une de um modo particular para formar *esses objetos.*

Quando as partículas de energia se unem para formar matéria física, tornam-se muito concentradas. Combinadas. Comprimidas. Começam a "parecer" unidades distintas. Isto é, a parecer "separadas", "diferentes" de toda energia. Mas é tudo a mesma energia, procedendo de modos diferentes.

É o próprio ato de proceder de modos diferentes que torna possível O Que É Tudo se manifestar como O Que É Numeroso.

Como Eu expliquei no Livro I, O Que É não poderia Se experimentar como O Que É *se não desenvolvesse essa* capacidade de diferenciar. *Então O Que É Tudo* se dividiu *em O Que É* Isto, *e O Que É* Aquilo. *(Eu estou tentando tornar isso muito simples agora.)*

As "partes de energia" que se uniram em unidades distintas que continham seres físicos são o que vocês escolheram chamar de "almas". Estamos falando aqui das partes de Mim que se tornaram vocês. Portanto, da Dicotomia Divina:

Só há Um de nós.

Há Muitos de Nós.

Isso é maravilhoso!

Você está Me dizendo que é.

Posso continuar?

Não, pare. Estou entediado.
Sim, continue!

Está bem.

Quando a energia se combina, torna-se, como Eu disse, muito concentrada. Mas quanto mais a pessoa se afasta desse ponto de concentração, mais ela se dissipa. O "ar se torna rarefeito". A aura se desvanece. A energia nunca desaparece totalmente, porque não pode desaparecer. É a matéria de que tudo é feito. É Tudo Que Existe. Contudo, pode se tornar muito, muito fraca, sutil — quase "inexistente".

Então, em outro lugar (leia-se, outra parte de Si Mesma), pode novamente combinar-se, mais uma vez "concentrando-se" para formar o que você chama de matéria, e que "parece" uma unidade distinta. Agora as duas unidades parecem separadas uma da outra, e na verdade não há separação alguma.

Essa é, em termos muito simples e elementares, a explicação por trás de todo o universo físico.

Puxa vida! Mas isso pode ser verdade? Como eu sei que não é simplesmente fruto da minha imaginação?

Seus cientistas já estão descobrindo que a matéria de toda vida é a mesma.

Eles trouxeram pedras da Lua e descobriram a mesma matéria que encontram nas árvores. Examinam uma árvore e se deparam com a mesma matéria que acham em você.

Eu lhe digo que nós somos a mesma matéria.

Somos a mesma energia, combinada de modos diferentes para criar formas e coisas diferentes.

Nada pode se tornar matéria *por si mesmo. Jesus disse: "Sem o Pai, Eu não sou coisa alguma." O pai de tudo é o puro pensamento. Essa é a energia da vida. É o que vocês escolheram chamar de Amor Absoluto. É o Deus e a Deusa, o Alfa e o Ômega, o Início e o Fim. É a Totalidade de Tudo, o Movedor Imóvel, a Fonte Primordial. É isso que vocês tentam compreender desde o início dos tempos. O Grande Mistério, o Enigma Interminável, a verdade eterna.*

Nós somos Um Só, e, portanto, é isso que VOCÊS SÃO.

Capítulo 7

Eu sinto admiração e respeito ao ler estas palavras. Obrigado por estar aqui comigo. Com todos nós. Porque milhões leram suas palavras nestes diálogos e milhões ainda as lerão. E é um presente maravilhoso o Senhor entrar em nossos corações.

Meus seres mais queridos — eu sempre estive em seus corações. Mas estou feliz por agora realmente Me sentirem lá.

Eu sempre estive com vocês. Nunca os abandonei. Eu sou vocês, e vocês são Eu, e Nós nunca, nunca *seremos separados, porque isso não é* possível.

Mas em alguns dias eu me sinto terrivelmente só. Às vezes, acho que estou travando essa batalha sozinho.

Isso é porque você Me deixou, meu filho. Deixou de ter consciência de Mim. Contudo, quando tem consciência de Mim, nunca pode estar sozinho.

Como eu posso ter essa consciência?

Leve-a aos outros. Não conquistando adeptos, mas por meio do exemplo. Seja a fonte do amor que Eu sou nas vidas de todas as pessoas. Porque o que dá aos outros, dá a si mesmo. Porque só há Um de Nós.

Obrigado. Sim, o Senhor já disse isso. Seja a fonte. De tudo que quiser experimentar, a fonte disso nas vidas das outras pessoas.

Sim. Esse é o grande segredo. O conhecimento sagrado. Faz aos outros o que gostarias que fizessem a ti mesmo.

Todos os seus problemas e conflitos, e todas as suas dificuldades em criar em seu planeta uma vida de paz e felicidade, baseiam-se em sua incapacidade de compreender essa simples instrução e segui-la.

Eu entendi. Mais uma vez o Senhor falou tão simples e claramente que eu entendi. E tentarei não "deixar escapar" isso de novo.

Você não pode "deixar escapar" aquilo que dá. Lembre-se disso.

Obrigado. Agora posso Lhe fazer mais algumas perguntas sobre a alma?

Eu tenho mais um comentário geral a fazer sobre a vida que você está tendo.

Por favor, faça.

Você acabou de dizer que às vezes acha que está travando essa batalha sozinho.

Sim.

Que batalha?

Isso foi uma figura de linguagem.

Acho que não. Acho que foi um verdadeiro indicador de como você e muitas pessoas realmente se sentem em relação à vida.

Você enfiou em sua cabeça que há uma "batalha" — algum tipo de luta acontecendo aqui.

Bem, às vezes parece que há.

Não tem de haver e tampouco de parecer que há.

O Senhor me perdoe, mas acho difícil acreditar nisso.

O que é exatamente o motivo pelo qual essa não tem sido a sua realidade. Porque você torna real o que acredita que é real. Mas Eu lhe digo que sua vida não foi criada para ser uma luta, e não tem de ser, agora e nunca.

Eu lhe dei as ferramentas com as quais criar a realidade maior. Você simplesmente escolheu não usá-las. Ou, para ser mais exato, não soube usá-las.

As ferramentas às quais me refiro são as três ferramentas da criação. Nós falamos muito nelas em nosso diálogo. Sabe quais são?

O pensamento, a palavra e a ação.

Ótimo. Você se lembrou. Certa vez Eu inspirei Mildred Hinckley, um mestre espiritual Meu, a dizer: "Vocês nasceram com o poder criativo do Universo na ponta de suas línguas."

Essa é uma afirmação de implicações surpreendentes. Como é esta verdade de outro de Meus mestres:

"Você terá aquilo em que acreditar."

Essas duas afirmações têm a ver com o pensamento e a palavra. Outro de Meus mestres disse isto, em relação à ação:

"O início é Deus. O fim é a ação. A ação é Deus criando — ou experimentado."

Vou fazer outra pergunta: *é* possível amar mais de uma pessoa ao mesmo tempo?

É claro que sim.

Não, não, quero dizer, sentir o mesmo tipo de amor profundo e pessoal que em geral reservamos para uma só pessoa — ou pelo menos, uma pessoa *de cada vez.*

Por que você desejaria "reservar" o amor? Por que desejaria mantê-lo "de reserva"?

Porque não é certo amar mais de uma pessoa "assim". É uma traição.

Quem lhe disse isso?

Todos me disseram isso. Meus pais, minha religião e minha sociedade me disseram isso!

Esses são alguns dos "pecados do pai" passados para o filho.

Sua própria experiência lhe ensina que amar alguém sem reservas *é a coisa melhor que pode fazer. Contudo, seus pais, mestres e pastores lhe dizem outra coisa — que só pode amar "assim" uma pessoa de cada vez. E não estamos falando apenas de sexo aqui. Se você* de algum modo *considera uma pessoa tão especial quanto outra, freqüentemente acaba tendo a sensação de que traiu essa outra.*

É isso mesmo que acontece!

Então você não está expressando o verdadeiro amor, mas um tipo falso de amor.

Até que ponto o verdadeiro amor poderá se expressar dentro da estrutura da experiência humana? Que limites estabeleceremos — alguns diriam, *deveríamos estabelecer* — para essa expressão? Se todas as energias sociais e sexuais fossem liberadas sem restrições, qual seria o resultado? A total liberdade social e sexual é a negação de todas as responsabilidades, ou a expressão máxima da liberdade?

Toda tentativa de restringir as expressões naturais do amor é uma negação da experiência da liberdade — e, portanto, uma negação da própria alma. Porque a alma é a liberdade personificada. Deus é, por definição, liberdade — porque é ilimitado e irrestrito. A alma é Deus em miniatura. Por isso, rebela-se quando lhe são impostos limites, e é como se morresse novamente sempre que aceita limites externos.

Nesse sentido, o próprio nascimento é uma morte, e a morte é um nascimento. Porque no nascimento a alma se vê com as grandes limitações de um corpo, e na morte escapa novamente dessas limitações. Faz a mesma coisa durante o sono.

A alma voa de volta para a liberdade — e se alegra mais uma vez com a expressão e experiência de sua verdadeira natureza.

Contudo, sua verdadeira natureza pode ser expressada e experimentada enquanto ainda está com o corpo?

Essa é a pergunta que você faz, e que o leva ao objetivo da própria vida. Porque se a vida com o corpo não é nada mais do que uma prisão ou limitação, então o que de bom pode advir dela, e qual pode ser sua função, ou razão?

Sim, acho que é isso que eu estou perguntando. E pergunto em nome de todos os seres que sentiram as grandes limitações da experiência humana. E eu não estou me referindo às limitações físicas...

Sei que não.

...mas às emocionais e psicológicas.

Sim, sei. Eu compreendo. Entretanto, todas as suas preocupações estão relacionadas com a mesma pergunta mais ampla.

Sim. Mas deixe-me terminar. Durante toda a minha vida, eu me senti muito frustrado com a incapacidade do mundo de me deixar amar quem quisesse exatamente como quisesse.

Quando era mais jovem, diziam-me para não falar com estranhos ou dizer coisas inadequadas. Lembro-me de que uma vez, andando por uma rua com meu pai, encontramos um mendigo pedindo esmolas. Eu imediatamente senti pena do homem e quis lhe dar algumas das moedas que tinha no bolso. Meu pai me impediu, fazendo-me seguir em frente. "Isso é gentalha", disse. "Apenas gentalha." Era assim que ele se referia a todos que não correspondiam às suas definições do que era um ser humano digno.

Eu me lembro de uma outra ocasião em que meu irmão mais velho, que não vivia mais conosco, não pôde ir à nossa casa na véspera de Natal por causa de uma briga que tinha tido com meu pai. Eu adorava meu irmão e queria que ele ficasse conosco naquela noite, mas meu pai o barrou na varanda. Minha mãe ficou arrasada (era filho dela de um casamento anterior) e eu fiquei totalmente confuso. Como poderíamos não amar ou desejar a presença de meu irmão na véspera de Natal apenas devido a uma briga?

Que tipo de desavença poderia ser séria a ponto de estragar o Natal, quando as guerras tinham sido suspensas por uma trégua de 24 horas? Isso meu pequeno coração de sete anos desejava muito saber.

Quando eu fiquei mais velho, aprendi que não era apenas a raiva que fazia o amor parar de fluir, mas também o medo. Era por isso que não podíamos falar com estranhos — mas não apenas quando éramos crianças indefesas. Também quando éramos adultos. Eu aprendi que não era certo cumprimentar estranhos e que havia certas regras de etiqueta a seguir com uma pessoa à qual você tinha acabado de ser apresentado — nenhuma das quais fazia sentido para mim. Eu queria saber *tudo* sobre essa nova pessoa, e que ela soubesse tudo sobre *mim*! Mas não. As regras diziam que era preciso esperar.

E quando a sexualidade passou a fazer parte da minha vida adulta, aprendi que as regras eram ainda mais rígidas e limitadoras. *E eu ainda não as entendo.*

Eu descobri que só quero amar e ser amado do modo que achar natural e agradável. Mas a sociedade tem suas regras e normas em relação a isso, que são tão rígidas que *mesmo se a outra pessoa envolvida* concordar com uma experiência, se a *sociedade* não concordar, os dois amantes são considerados "errados", e, portanto, condenados.

O que significa tudo isso?

Bem, você mesmo disse. Medo.
Tudo isso está relacionado com o medo.

Sim, mas esse medo é justificado? Essas limitações não são impostas apenas devido aos comportamentos da nossa raça? Por exemplo, um homem conhece uma mulher mais jovem, apaixona-se por ela e deixa sua esposa. Eu só estou dando um exemplo. Então lá está ela, sozinha com seus filhos, com 39 ou 40 anos e sem capacitação profissional — ou, pior ainda, deixada sem recursos aos 64 anos por um homem de 68 que se apaixonou por uma mulher mais nova do que sua filha.

Você acha que o homem que descreve deixou de amar a esposa de 64 anos?

Bem, ele age como se tivesse deixado de amar.

Não. Não é sua esposa que ele não ama, e não é dela que deseja escapar. É das limitações que sente que lhe foram impostas.

Ah, isso é absurdo. É desejo, puro e simples. É um velhote tentando recuperar sua juventude, querendo estar com uma mulher mais jovem, incapaz de reprimir seus desejos infantis e manter a promessa feita à esposa que ficou ao seu lado durante anos em todos os momentos difíceis.

É claro que sim. Você descreveu isso perfeitamente. No entanto, nada do que disse muda uma coisa que Eu disse. Em quase todos os casos, o homem não deixou de amar sua esposa. São as limitações que ela lhe impôs, ou as que lhe impôs a mulher mais jovem quando afirmou que o deixaria se ele continuasse com sua esposa, que provocaram a revolução.

O que Eu estou tentando dizer é que a alma sempre *se rebela contra* qualquer *limitação. Que é isso que causou* todas *as revoluções na história da humanidade, não apenas a revolução que faz um homem deixar sua esposa — ou uma esposa deixar seu marido. (O que, a propósito, também acontece.)*

Certamente o Senhor não está defendendo a abolição completa de todos os limites comportamentais! Isso seria anarquia comportamental. Caos social. Certamente o Senhor não está dizendo que as pessoas devem ter "casos amorosos" — ou *casamentos abertos*!

Eu não defendo ou deixo de defender coisa alguma. *Não sou "contra" ou "a favor" de nada. A raça humana fica tentando me tornar um Deus "contra" ou "a favor" de determinadas coisas, mas Eu não sou esse Deus.*

Eu só observo o que é. Só observo vocês *criarem seus* próprios *sistemas de certo e errado, e a favor e contra, e tento ver se suas idéias atuais lhes servem, dado o que dizem que escolhem e desejam como uma espécie e individualmente.*

Agora, no que diz respeito ao "casamento aberto".

Eu não sou contra ou a favor do "casamento aberto". Se você é ou não depende do que decide que quer dentro e fora do casamento. E sua decisão sobre isso *cria Quem Você É com relação à experiência que chama de "casamento". Porque, como Eu lhe disse, todo ato é um ato de autodefinição.*

Ao tomar qualquer decisão, é importante certificar-se de que a pergunta certa está sendo respondida. Por exemplo, a pergunta que diz respeito ao assim chamado "casamento aberto" não é: "Devemos ter um casamento aberto em que o contato sexual dos dois parceiros com outras pessoas é permitido?" É: "Quem Eu Sou — e Quem Somos Nós — em relação à experiência chamada de casamento?"

A resposta para essa pergunta é encontrada na resposta para a pergunta mais ampla sobre a vida: Quem Sou *Eu — ponto final — em relação a tudo, Quem Sou Eu e Quem Escolho Ser?*

Como Eu já disse repetidamente em todo este diálogo, a resposta para essa pergunta é a resposta para todas *as perguntas.*

Deus, isso me frustra. Porque a resposta para essa pergunta é tão ampla e geral que não responde a nenhuma outra pergunta.

Ah, não? Então qual é a sua resposta para ela?

Segundo esses livros — o que o Senhor parece estar dizendo neste diálogo — é eu sou "amor". É, isso Realmente Sou.

Ótimo! Você aprendeu! *Está certo. É amor. O amor é tudo que existe. Portanto, você é amor, Eu sou amor, e não há nada que* não *seja amor.*

E quanto ao medo?

O medo é o que você não é. É Falsa Evidência Parecendo Real. É o oposto do amor, que você criou em sua realidade para poder conhecer experimentalmente O Que Realmente É.

É isto que é verdade no mundo relativo de sua existência: na ausência do que você não é, o que você é... não *é.*

Sim, sim, já falamos sobre isso muitas vezes em nosso diálogo, mas parece que o Senhor ignorou o que eu disse. Eu disse que a resposta para a pergunta a respeito de Quem Somos (que é o amor) é tão ampla que não responde a nenhuma outra pergunta. O Senhor disse que é a resposta para *todas* as perguntas, e eu digo que não é a resposta para *nenhuma,* muito menos uma tão específica como "O nosso casamento deveria ser aberto?"

Se isso for verdade para você, é porque não sabe o que é o amor.

E alguém sabe? A raça humana tenta descobrir isso desde o início dos tempos.

O que não existe.

Sim, sim, eu sei. É uma figura de linguagem.

Deixe-Me ver se consigo encontrar, usando suas "figuras de linguagem", algumas palavras para explicar o que é o amor.

Isso seria ótimo.

A primeira palavra que me ocorre é ilimitado. O amor é ilimitado.

Bem, voltamos para onde estávamos quando começamos a abordar esse tema. Estamos andando em círculos.

Os círculos são bons. Não os despreze. Continue andando em círculos ao redor da pergunta. Não há nenhum mal nisso, e tampouco em repetir, revisitar e reafirmar.

Às vezes eu fico impaciente.

Às vezes? *Isso é muito engraçado!*

Está bem, está bem, continue a falar.

O amor é o que é ilimitado. Não há início nem fim para ele. Não há antes e depois. O amor sempre foi, é e será.

O amor também é sempre. É a realidade do sempre.

Agora vamos voltar a outra palavra que já usamos: liberdade. Porque se o amor é ilimitado, e sempre, então é... livre. O amor é o que é totalmente livre.

Agora, na realidade humana, você descobrirá que sempre procura amar e ser amado — que sempre deseja que o amor seja ilimitado. E que sempre deseja ser livre para expressá-lo.

Você busca liberdade, ausência de limites e eternidade em todas as experiências do amor. Talvez nem sempre consiga essas coisas, mas é o que busca, porque são o que o amor é, e em algum lugar em seu íntimo você sabe *disso, porque você é amor, e através da expressão do amor tenta saber e experimentar Quem e O Que É.*

Você é vida expressando vida, amor expressando amor, Deus expressando Deus.

Portanto, todas essas palavras são sinônimos. Pense nelas como a mesma coisa:

Deus
Vida
Amor
Ilimitado
Eterno
Livre

Tudo que não é uma dessas coisas não é *nenhuma delas.*

Você é todas essas coisas, e cedo ou tarde tentará experimentar-se como todas elas.

O que significa "cedo ou tarde"?

Depende de quando você supera seu medo. Como Eu já disse, o medo é Falsa Evidência Parecendo Real. É o que você não é.

Você tentará experimentar O Que É, quando experimentar o que não é.

Quem quer experimentar o medo?

Ninguém quer, mas aprende a experimentar.

As crianças não experimentam o medo. Acham que podem fazer tudo. Não experimentam falta de liberdade. Acham que podem amar quem quiserem. Não experimentam falta de vida. Acham que viverão para sempre — e as pessoas que agem como crianças acham que nada pode feri-las. As crianças não sabem o que é pecado — até que aprendem o que é com os adultos.

É por isso que elas correm nuas e abraçam todos, sem pensar. Se ao menos os adultos pudessem fazer o mesmo!

Bem, as crianças fazem isso com a beleza da inocência. Os adultos não podem recuperar essa inocência, porque quando "ficam nus" o sexo sempre está envolvido nisso.

Sim. E é claro que Deus proíbe o "sexo", mesmo sendo inocente e livremente experimentado.

Na verdade, Deus *realmente* o proibiu. Adão e Eva passeavam nus e felizes pelo Jardim do Éden até Eva comer o fruto da árvore do Conhecimento do Bem e do Mal. Então o Senhor nos condenou a viver em nossa condição atual, porque todos nós somos culpados desse pecado original.

Eu não fiz isso.

Eu sei. Mas tenho de fazer uma crítica à religião organizada aqui.

Tente não fazer, se puder.

Sim. Eu deveria tentar. Seus fanáticos têm muito pouco senso de humor.

Lá vai você novamente.

Desculpe-me.

Eu estava dizendo... *vocês tentam, como uma espécie, experimentar um amor ilimitado, eterno e livre. A instituição do casamento foi sua tentativa de criar a eternidade. Com ela, concordaram em se tornar parceiros pelo resto da vida. Mas isso não ajudou muito a produzir um amor "ilimitado" e "livre".*

Por que não? Se o casamento é livremente escolhido, não é uma expressão de liberdade? E dizer que você não vai demonstrar seu amor sexual por ninguém exceto seu cônjuge não é uma limitação, mas uma escolha. E uma escolha não é uma limitação, é um *exercício de liberdade.*

Desde que continue a ser *escolha.*

Bem, *tem* de ser. Essa foi a *promessa.*

Sim, e é aí que começam os problemas.

Ajude-me a entender isso.

Veja bem, pode chegar um momento em que você deseja que um relacionamento seja muito especial. Não é que uma pessoa *seja mais especial para você do que outra, mas o* modo *como você escolhe demonstrar-lhe a profundidade do amor que sente por todas as pessoas — e pela própria vida é único.*

De fato, o modo como demonstra amor por cada pessoa é único. Você não demonstra amor por duas pessoas do mesmo modo. Como é uma criatura original e um criador de originalidade, tudo que cria é original. Não é possível um pensamento, uma palavra ou uma ação serem duplicativos. Você não pode duplicar, só pode originar.

Você sabe por que *dois flocos de neve não são iguais? Porque é* impossível *para eles ser. "Criação" não é "duplicação", e o criador só pode criar.*

É por isso que dois flocos de neve, duas pessoas, *dois pensamentos, dois relacionamentos e dois* qualquer coisa *não são iguais.*

O Universo — e tudo que há nele — existe em forma singular, e na verdade não há nada igual a ele.

Essa é novamente a Dicotomia Divina. Tudo é singular, e tudo é Único.

Exatamente. Cada dedo em sua mão é diferente, contudo é a mesma mão. O ar em sua casa é o ar que está em toda parte, no entanto o ar de seus cômodos parece totalmente diferente.

Ocorre o mesmo com as pessoas. Todas elas são Únicas, todavia ninguém é igual a ninguém. Por isso, você não poderia amar duas pessoas de modo igual, mesmo se tentasse — e nunca desejaria *fazer isso, porque* o amor é uma resposta única ao que é único.

Portanto, quando você demonstra seu amor por uma pessoa, está expressando de um modo que não poderia fazer por outra pessoa. Seus pensamentos, suas palavras e seus atos — suas reações — são literalmente impossíveis de duplicar — um de cada tipo... como é a pessoa por quem nutre esses sentimentos.

Se chegou o momento em que você deseja demonstrar de um modo especial seus sentimentos por uma pessoa, então escolha isso, como diz. Anuncie-o e declare-o. Contudo, torne sua declaração uma afirmação momento a momento da sua liberdade, *não sua* obrigação *atual. Porque o verdadeiro amor é sempre livre, e nenhuma obrigação pode existir no espaço do amor.*

Se você vê sua decisão de expressar seu amor por uma pessoa de um determinado modo como uma promessa *sagrada, que nunca pode ser quebrada, pode chegar o dia em que experimentará essa promessa como uma obrigação — e a lamentará. Porém, se vê essa decisão não como uma promessa, feita apenas uma vez, mas como uma livre-escolha, feita repetidamente, esse dia nunca chegará.*

Lembre-se de que só há uma promessa sagrada, que é a de dizer e viver a sua verdade. *Todas as outras promessas são privações de liberdade e nunca podem ser sagradas. Porque a liberdade é Quem Você É. Se você se privar dela, se privará do seu Eu. E isso não é um sacramento, é uma blasfêmia.*

Capítulo 8

Puxa vida! Essas palavras são duras. O Senhor está dizendo que nunca deveríamos fazer promessas — prometer nada para ninguém?

Toda promessa inclui uma mentira. A mentira é que você pode saber agora como se sentirá em relação a uma coisa, e o que desejará fazer em relação a ela no futuro. Você não pode saber disso se vive como um ser reativo — o que a maioria de vocês faz. Somente se viver como um ser criativo sua promessa poderá não incluir uma mentira.

Os seres criativos podem *saber como se sentirão em relação a alguma coisa no futuro, porque* criam *seus sentimentos, em vez de experimentá-los.*

Antes de você poder criar *seu futuro, não poderá* prevê-lo. *Antes de poder* prevê-lo, *não poderá prometer sinceramente coisa alguma.*

Contudo, mesmo quem cria e prevê o futuro tem o poder e o direito de mudar. A mudança é um direito básico de todas as criaturas. De fato, é mais do que um "direito", porque um "direito" é algo que é concedido. *A "mudança" é algo que É.*

A mudança é.

O que é mudança, você é.

Não lhe podem conceder *isso. Você* é *isso.*

Como você é "mudança" — e a mudança é a única coisa constante em você —, *não pode prometer sinceramente ser* sempre o mesmo.

O Senhor quer dizer que nada é constante no Universo — que nada permanece inalterado na criatividade?

O processo que você chama de vida é um processo de recriação. Toda vida está sempre se recriando em cada momento do agora. Nesse processo a identidade é impossível, porque se uma coisa é idêntica, não mudou nada. Mas embora a identidade seja impossível, a similaridade não é. A similaridade é o resultado do processo de mudança produzindo uma versão muito parecida com o que veio antes.

Quando a criatividade atinge um alto nível de similaridade, você chama isso de identidade. E vista da sua perspectiva comum limitada, é.

Portanto, em termos humanos, parece haver uma grande constância no Universo. Isto é, as coisas parecem iguais, e agir e reagir *de modo igual. Você vê constância aí.*

Isso é bom, porque fornece uma estrutura na qual você pode considerar e experimentar sua existência física.

Contudo, Eu lhe digo que da perspectiva de toda a vida — do que é físico e não físico — não é vista constância. As coisas são experimentadas como realmente são: *sempre mutantes.*

O Senhor está dizendo que às vezes as mudanças são tão sutis que de nossa perspectiva limitada as coisas *parecem* as mesmas — exatamente as mesmas — quando na verdade não são.

Sim.

Então não há "gêmeos idênticos".

Não. Você entendeu isso muito bem.

Mas nós *podemos* nos recriar de uma forma suficientemente similar para produzir uma *aparência* de constância.

Sim.

E podemos fazer isso em relacionamentos humanos, em termos de Quem Somos e como nos comportamos.

Sim, embora a maioria de vocês ache isso muito difícil.

Como a constância (ao contrário da aparência de constância) viola a lei natural, como acabamos de aprender, é preciso um grande mestre para ao menos criar a aparência *de identidade.*

Um mestre supera toda tendência natural (lembre-se de que a tendência natural é a mudança) para mostrar-se como idêntico. Na verdade, não pode mostrar-se como idêntico em todos os momentos. Mas pode mostrar-se como suficientemente similar *para criar a* aparência *de identidade.*

Mas pessoas que *não* são "mestres" se mostram "de modo idêntico" o tempo todo. Conheço algumas cujos comportamentos são muito previsíveis.

Todavia, é preciso muito esforço para fazer isso intencionalmente.

O mestre cria um alto nível de similaridade (que vocês chamam de "constância") intencionalmente. *Um estudante cria constância sem necessariamente ter a intenção de criá-la.*

Por exemplo, uma pessoa que sempre reage da mesma forma a determinadas situações, freqüentemente diz: "Eu não pude evitar."

Um mestre nunca *diria isso.*

Até mesmo se a reação de uma pessoa produz um comportamento admirável — algo pelo qual ela recebe elogios — sua resposta freqüentemente é: "Bem, não foi nada. Foi realmente automático. Qualquer um faria isso."

Um mestre também nunca diria isso.

Logo, um mestre é uma pessoa que literalmente sabe o que está fazendo.

Também sabe por quê.

As pessoas que não operam em níveis de mestria não costumam saber.

É por isso que é tão difícil cumprir promessas?

Esse é um dos motivos. Como Eu já disse, antes de você poder prever seu futuro, não poderá prometer sinceramente coisa alguma.

Um segundo motivo pelo qual as pessoas acham difícil cumprir suas promessas é que elas entram em conflito com a autenticidade.

O que o Senhor quer dizer?

Quero dizer que sua verdade não é a mesma que disseram *que sempre seria. Por isso há o conflito. Ao que devem ser fiéis — à sua verdade ou à sua promessa?*

Qual é o Seu conselho?

Eu já lhe dei esse conselho antes:

Trair a si mesmo para não trair outra pessoa não deixa de ser uma traição. É a maior delas.

Mas isso faria promessas serem quebradas em toda parte! Ninguém manteria sua palavra. Não se poderia contar com ninguém para nada!

Ah, então você continua contando com que os outros mantenham sua palavra, *não é? Não admira que esteja tão infeliz.*

Quem disse que eu estou infeliz?

Quer dizer que é assim que você fica e age quando está feliz?

Está certo. Então me sinto infeliz. Às vezes.

Ah, durante grande *parte do tempo. Mesmo quando tinha todos os* motivos *para ser feliz, permitiu-se ser infeliz — preocupando-se a respeito de se poderia* continuar *a ser feliz!*

E o motivo pelo qual você teve *de se preocupar com isso é que "continuar a ser feliz" dependeu muito de outras pessoas manterem suas palavras.*

O Senhor quer dizer que eu não tenho o direito de querer — ou ao menos *esperar* — que elas as mantenham?

Por que você deseja *ter esse direito?*

O único motivo pelo qual uma pessoa não manteria sua palavra com você seria ela não querer — ou sentir que não pode — mantê-la, o que é a mesma coisa.

E se uma pessoa não quisesse manter sua palavra com você, ou por alguma razão sentisse que simplesmente não podia mantê-la, por que você desejaria que a mantivesse?

Você realmente quer que alguém faça o que foi combinado se não quiser fazer isso? Realmente acha que as pessoas deveriam ser forçadas a fazer o que acham que não podem fazer?

Por que você desejaria forçar as pessoas a fazer algo contra sua vontade?

Bem, porque deixá-las *não* fazer o que disseram que fariam causaria danos a mim ou à minha família.

Então para evitar danos, você quer causá-los aos outros.

Não sei que danos eu poderia causar a uma pessoa simplesmente pedindo-lhe para manter sua palavra.

Mas essa pessoa deve achar que seria danoso para ela mantê-la, ou a manteria de boa vontade.

Então *eu* deveria sofrer os danos, ou ver meus filhos e minha família sofrendo-os, em vez de "causar danos" a quem fez uma promessa simplesmente pedindo-lhe que a cumpra?

Acha mesmo que se forçar alguém a manter uma promessa, evitará os danos?

Eu lhe digo que mais danos foram causados por pessoas que sofreram caladas (isto é, fazendo o que achavam que "tinham" de fazer) do que por pessoas que fizeram livremente o que queriam fazer.

Quando você dá a uma pessoa liberdade, afasta *o perigo, não o aumenta.*

Contudo, "liberar" alguém de um compromisso assumido com você pode parecer-lhe *danoso a curto prazo, mas nunca o será a longo prazo, porque quando você dá liberdade a outra pessoa, também a dá a* si mesmo. *E por isso se livra das aflições e angústias, e dos ataques à sua dignidade e ao seu valor pessoal que inevitavelmente ocorrem quando você força outra pessoa a cumprir uma promessa que ela não deseja cumprir.*

Os danos a longo prazo serão muito maiores do que os a curto prazo — como descobriram quase todos que tentaram fazer outra pessoa manter sua palavra.

Isso também se aplica aos negócios? Como o mundo poderia fazer negócios desse modo?

Na verdade esse é o único modo sensato de fazer negócios.

O problema é que sua sociedade atual se baseia na força. Na força legal (o que vocês chamam de "força da lei"), e freqüentemente na física (que vocês chamam de "forças armadas" mundiais).

Vocês ainda não aprenderam a usar a arte da persuasão.

Se não fosse por meio da força legal — ou da "força da lei", exercida nos tribunais — como "persuadiríamos" as empresas a cumprir seus contratos e acordos?

Dada a sua ética cultural, pode não haver outro modo. Entretanto, se essa ética mudasse, *o modo como vocês agora tentam evitar que empresas — e indivíduos — rompam seus acordos pareceria muito primitivo.*

O Senhor pode explicar isso?

Agora vocês usam a força para garantir que esses acordos sejam cumpridos. Se sua ética cultural mudasse de forma a incluir uma compreensão de que todos vocês são Um Só, nunca usariam a força, porque isso só prejudicaria seus próprios "Eus". Vocês não dariam um tapa em suas mãos esquerdas com suas mãos direitas.

Mesmo se nossas mãos esquerdas nos estivessem estrangulando?

Essa é outra coisa que não aconteceria. Vocês parariam de estrangular seus "Eus". Parariam de se prejudicar. E parariam de romper seus acordos. E, é claro, seus próprios acordos seriam muito diferentes.

Vocês não concordariam em dar algo de valor para outras pessoas apenas se elas tivessem algo em troca para lhes dar. E nunca deixariam de dar ou partilhar alguma coisa se não soubessem que podiam esperam o que chamam de uma retribuição justa.

Vocês dariam e partilhariam automaticamente, e por isso haveria muito menos contratos a quebrar, porque seus contratos dizem respeito à troca *de bens e serviços, enquanto suas vidas dizem respeito ao ato de* dar, *sem esperar nada em* troca.

Porém, nesse ato de dar desinteressadamente seria encontrada a sua salvação, porque vocês teriam descoberto o que Deus experimentou: que o que você dá para outra pessoa, dá para seu Eu. É dando que se recebe.

Tudo que se origina de você, volta para você.

Septuplicadamente. Por isso, você não precisa se preocupar com o que "obterá de volta". Só precisa se preocupar com o que "dará".

A vida diz respeito a criar a maior capacidade de dar, não a maior capacidade de receber.

Vocês sempre se esquecem disso. Mas a vida não é "para receber". É "para dar", e para fazer isso você precisa perdoar os outros — especialmente aqueles que não lhe deram *o que achou que ia* receber*!*

Isso exige uma mudança completa de sua história cultural. Em sua cultura, o que vocês chamam de "sucesso" depende em grande parte de quanto "ganham", do dinheiro, do poder e dos bens que acumularam. Na Nova Cultura o "sucesso" dependerá de quanto farão os outros *acumularem.*

A ironia é que quanto mais vocês fazem os outros *acumularem, mais acumulam. Sem "contratos", "acordos", "barganhas", "negociações" ou tribunais que os forçam a dar uns aos outros o que foi "prometido".*

Na economia futura, vocês não farão as coisas visando ao lucro pessoal, mas ao crescimento pessoal, que será o seu lucro. Não obstante, terão "lucro" em termos materiais quando se tornarem uma versão maior e mais grandiosa de Quem Realmente São.

Então, o uso da força para obrigar alguém a dar algo que "disse" que daria lhes parecerá muito primitivo. Se outras pessoas não cumprirem acordos, vocês simplesmente as deixarão seguir seus caminhos, fazer suas escolhas e criar suas próprias experiências de si mesmas. E tudo que elas não lhes deram vocês não perderão, porque saberão que "há mais no lugar de onde isso veio", e que vocês *é que são suas fontes, não essas pessoas.*

Meu Deus! Eu *entendi*! Mas parece que nós realmente nos desviamos do assunto. Toda esta discussão começou porque eu Lhe perguntei sobre o amor — e se os seres humanos algum dia se permitiram expressá-lo sem limitações. E isso levou a uma pergunta sobre o casamento aberto. E subitamente nos perdemos aqui.

Não. Tudo que falamos é pertinente. Está relacionado com as suas perguntas sobre as assim chamadas sociedades iluminadas, ou muito evoluídas. Porque nas sociedades muito evoluídas não há "casamento" ou "negócios" — e tampouco nenhuma das estruturas sociais artificiais que vocês criaram para manter sua sociedade coesa.

Sim, mas vamos falar sobre isso depois. Agora só quero encerrar totalmente este assunto. O Senhor disse algumas coisas intrigantes. Pelo que entendi, a conclusão de tudo isso é que a maioria dos seres humanos não consegue cumprir promessas e, portanto, não deveria fazê-las. Isso invalida a instituição do casamento.

Eu gosto do seu uso da palavra "instituição" aqui. A maioria das pessoas casadas vê o casamento como uma "instituição".

Sim, uma instituição para loucos, ou uma instituição penal, ou pelo menos uma instituição de aprendizado superior!

Exatamente. É assim que a maioria das pessoas o vê.

Bem, eu só estava brincando com o Senhor, mas não diria "a maioria das pessoas". Ainda há milhões delas que adoram a instituição do casamento e desejam protegê-la.

Eu repito o que disse. A maioria das pessoas passa por momentos difíceis no casamento e não *gosta do que o casamento faz com elas. Suas estatísticas mundiais de divórcio provam isso.*

O Senhor está dizendo que o casamento deveria deixar de existir?

Eu não tenho preferências a esse respeito, só...

...Eu sei, eu sei. Só faz observações.

Bravo! Você continua querendo me tornar um Deus que tem preferências, o que Eu não sou. Obrigado por ter tentado parar de fazer isso.

Bem, nós invalidamos não só o casamento, como também a religião!

É verdade que a religião não poderia existir se toda a raça humana compreendesse que Deus não tem preferências, porque a religião pretende ser uma afirmação *das preferências de Deus.*

E se o Senhor *não* tem preferências, a religião deve ser uma mentira.

Bem, essa é uma palavra dura. Eu diria que é uma ficção. Apenas algo que vocês criaram.

Como criamos a ficção de que Deus prefere que nos casemos?

Sim. Eu não prefiro nada desse tipo. Mas noto que vocês *preferem.*

Por quê? Por que preferimos casar se sabemos que isso é tão difícil?

Porque o casamento era o único modo que podiam imaginar de trazer "eternidade" para sua experiência do amor.

Era o único modo de uma mulher garantir seu apoio e sua sobrevivência, e de um homem garantir a constante disponibilidade de sexo e companheirismo.

Por isso foi criada uma convenção social. Foi feita uma barganha. Você me dá isto e eu lhe dou aquilo. E isso era *muito parecido com um negócio. Foi feito um contrato. E como as duas partes precisavam reforçá-lo, foi dito que esse era um "pacto sagrado" com Deus — que puniria quem não o respeitasse.*

Mais tarde, quando isso não deu certo, vocês criaram leis feitas pelo homem para reforçá-lo.

Mas nem mesmo isso funcionou.

Nem as assim chamadas leis de Deus nem as leis do homem foram capazes de impedir que as pessoas quebrassem seus votos de casamento.

Por quê?

Porque esses votos, como vocês os estruturaram, vão contra a única lei que importa.

Qual é?

A lei natural.

Mas é a lei natural a vida expressar união, Unicidade. Não é o que eu estou aprendendo? E o casamento é a nossa mais bela expressão disso. O senhor sabe, "O que Deus uniu o homem não separa", e todas essas coisas.

O casamento da maioria de vocês não é particularmente belo. Vai contra três aspectos do que é verdadeiro em relação à natureza do ser humano.

O Senhor pode repetir isso? Acho que estou apenas começando a entender.

Está bem. Vamos começar de novo pelo início.

Você É amor.

O amor é ilimitado, eterno e livre.

Portanto é isso que você *é. Essa é a* natureza *de Quem Você É. Você é por natureza ilimitado, eterno e livre.*

Todas as estruturas sociais, morais, religiosas, filosóficas, econômicas ou políticas que vão contra a sua natureza ou a subjugam vão contra o seu próprio Eu — e o fazem rejeitá-las.

O que você acha que deu origem ao seu próprio país? Não foi "liberdade ou morte"?

Bem, vocês abriram mão dessa liberdade em seu país, e em suas vidas. E tudo pelo mesmo motivo. Segurança.

Vocês têm tanto medo de viver *— da própria vida — que abriram mão* da própria natureza de seu ser *em troca de segurança.*

A instituição que chamam de casamento é sua tentativa de criar segurança, como o é a instituição que chamam de governo. De fato, elas são duas formas da mesma coisa — estruturas sociais artificiais criadas para vocês controlarem os comportamentos uns dos outros.

Credo! Eu nunca vi isso dessa forma. Sempre achei que o casamento era a expressão máxima do amor.

Como você o imaginou, sim, mas não como vocês o estruturaram. Como o estruturaram, é a expressão máxima do medo.

Se o casamento lhes permitisse ser ilimitados, eternos e livres em seu amor, então *seria a expressão máxima do amor.*

Como as coisas estão agora, vocês se casam em um esforço de reduzir seu amor ao nível de uma promessa *ou* garantia.

O casamento é um esforço de garantir que "o que é assim" agora sempre *seja assim. Se vocês não precisassem dessa garantia, não precisariam do casamento. E como usam essa garantia? Em primeiro lugar, como um meio de criar segurança (em vez de criar segurança a partir do que está dentro de vocês), e em segundo, se essa segurança não se revelar eterna, como um meio de se punirem, porque a promessa do casamento que foi quebrada pode formar a base da ação judicial que foi proposta.*

Dessa forma, vocês acharam o casamento muito útil — mesmo que se por todos os motivos errados.

O casamento também é sua tentativa de garantir que os sentimentos que nutrem por seus parceiros nunca nutrirão por outras pessoas. Ou pelo menos nunca os expressarão *do mesmo modo com outras pessoas.*

A saber, sexualmente.

A saber, sexualmente.

Por fim, o casamento como vocês o estruturaram é um modo de dizer: "Este relacionamento é especial. Eu o valorizo mais do que tudo."

O que há de errado nisso?

Nada. Não é uma questão de "certo" ou "errado. O certo e o errado não existem. É uma questão do que lhe serve. Do que o recria na próxima imagem mais grandiosa de Quem Realmente É.

Se Quem Realmente É diz "Este relacionamento — este único aqui — é mais especial do que qualquer outro", então sua estrutura do casamento lhe permite fazer isso muito bem. Porém, você poderia achar interessante notar que quase ninguém que é ou foi reconhecido como um mestre espiritual se casou.

Sim, porque os mestres são celibatários. Não têm relações sexuais.

Não. Isso ocorre porque os mestres não podem fazer sinceramente a afirmação que sua estrutura de casamento atual parece fazer: de que uma pessoa é mais especial do que outra.

Essa não é uma afirmação que um mestre faz, e não é uma afirmação que Deus faz.

O fato é que os votos do casamento, como vocês atualmente os estruturaram, os obrigam a fazer uma afirmação muito pouco divina. É o máximo da ironia vocês acharem que essa é a mais sagrada das promessas, porque é uma promessa que Deus jamais faria.

Entretanto, para justificar seus medos humanos, vocês imaginaram um Deus que age exatamente como vocês. *Por isso, falam da "promessa" de Deus para seu "Povo Escolhido" e das alianças entre Deus e aqueles que Ele ama de um modo especial.*

Vocês não conseguem suportar a idéia de um Deus que não *ama ninguém de um modo especial, e por isso criam ficções sobre um Deus que só ama certas pessoas por certos motivos. E vocês chamam essas ficções de Religiões. Eu as chamo de blasfêmias. Porque qualquer idéia de que Deus ama uma pessoa mais do que outra é falsa — e qualquer ritual que* lhe *pede para fazer a* mesma afirmação *não é um sacramento, mas um sacrilégio.*

Ah, meu Deus, pare. *Pare!* O Senhor está acabando com todos os bons conceitos que eu tinha sobre o casamento! Não pode ser Deus que está escrevendo isto. Deus nunca diria essas coisas sobre a religião e o casamento!

Estamos falando aqui da religião e do casamento do modo como vocês os estruturaram. *Você acha que essa conversa é difícil? Eu lhe digo que vocês deturparam a Palavra de Deus para justificar seus medos e o modo insano como tratam uns aos outros.*

Vocês farão Deus dizer o que precisarem que Ele diga para continuar a se limitar, ferir-se e se matar *em Meu nome.*

Sim, vocês invocaram Meu nome, e brandiram Minha bandeira, e carregaram cruzes em seus campos de batalha durante séculos, como uma prova de que Eu amo um povo mais do que outro, e lhes pediria para matar para prová-lo.

No entanto, Eu lhe digo que Meu amor é ilimitado e incondicional.

Essa é a coisa que vocês não podem ouvir, a verdade que não podem enfrentar, a afirmação que não podem aceitar, porque sua abrangência invalida não só a instituição do casamento (como vocês a estruturaram), como também todas as suas religiões e instituições governamentais.

Porque vocês criaram uma cultura baseada em exclusão e a sustentaram com um mito cultural de um Deus que exclui.

Mas a cultura de Deus se baseia na inclusão. O amor de Deus inclui todos. Todos *estão convidados a entrar em Meu Reino.*

E essa verdade é o que vocês chamam de blasfêmia.

E têm de chamar. Porque se é verdade, então tudo que criaram em sua vida é falso. Todas as convenções e estruturas humanas são falhas, porque não são ilimitadas, eternas e livres.

Como uma coisa pode ser "falha" se o "certo" e o "errado" não existem?

Uma coisa só é falha quando não serve a seu objetivo. Se uma porta não abre nem fecha, você não diria que a porta está "errada". Apenas diria que houve uma falha em sua instalação ou seu funcionamento — porque ela não serve a seu objetivo.

Tudo que você constrói em sua vida, em sua sociedade humana, que não serve a seu objetivo ao se tornar humano é falho. É uma construção falha.

E — apenas para recapitular — meu objetivo ao me tornar humano é?

Decidir, declarar, criar, expressar, experimentar e satisfazer Quem Realmente É.

Recriar-se em todos os momentos na versão mais grandiosa da melhor visão que já teve de Quem Realmente É.

Esse é seu objetivo ao tornar-se humano, e esse é o objetivo de toda a vida.

Então onde isso nos leva? Nós invalidamos a religião e o casamento, criticamos governos. Aonde chegamos?

Em primeiro lugar, nós não invalidamos e nem criticamos coisa alguma. Se uma estrutura que vocês criaram não está funcionando e não está produzindo o que quiseram que produzisse, descrever *essa condição não é invalidar ou criticar a estrutura.*

Tente se lembrar da diferença entre julgamento e observação.

Bem, eu não vou discutir com o Senhor, mas muito do que acabou de ser dito *me* pareceu julgamento.

Você está sujeito à grande limitação das palavras. Há realmente muito poucas delas, e por isso temos de usar as mesmas repetidamente, mesmo quando nem sempre carregam o mesmo significado, ou os mesmos tipos de pensamentos.

Vocês dizem que "amam" bananas splits, *mas certamente não querem dizer a mesma coisa quando afirmam que amam uns aos outros. Então realmente têm muito poucas palavras para descrever como estão se sentindo.*

Ao Me comunicar com você desse modo — por meio de palavras — Eu Me permiti experimentar essas limitações. E admito que, como vocês também usam algumas dessas palavras quando julgam, seria fácil concluir que Eu estou *julgando quando as uso.*

Eu lhe garanto que não estou. Em todo este diálogo só tenho tentado lhe dizer como chegar aonde diz que quer ir, e lhe mostrar, da melhor forma possível, o que está bloqueando o seu caminho; o que o está impedindo de chegar lá.

Agora, no que diz respeito à religião, *você diz que quer chegar a um lugar em que realmente poderá conhecer Deus e amá-Lo. Eu estou simplesmente observando que suas religiões não o levam lá.*

Suas religiões tornaram Deus o grande Mistério e fizeram com que vocês não O amassem, mas O temessem.

Elas também não os ajudaram muito a mudar seus comportamentos. Vocês ainda estão se matando e condenando, considerando-se "errados". E de fato, foram suas religiões *que os encorajaram a fazer isso.*

Portanto, Eu só observo que vocês querem que a religião os leve a um lugar, e ela os leva a outro.

Você diz que quer que o casamento *o leve a um lugar de êxtase eterno, ou pelo menos a um nível razoável de paz, segurança e felicidade. Como ocorre com a religião, sua invenção chamada casamento lhe proporciona isso no início, quando você a experimenta pela primeira vez. Mas, assim como ocorre com a religião, quanto mais você tem a experiência, mais ela o leva aonde você não quer ir. Quase metade das pessoas que se casam dissolvem seus casamentos através do divórcio, e muitas das que permanecem casadas estão profundamente infelizes.*

Suas "uniões felizes" os levam a amargura, raiva e arrependimento. Algumas — e não um número pequeno delas — podem levá-los à tragédia.

Vocês dizem que querem que seus governos *garantam paz, liberdade e tranqüilidade doméstica, e Eu observo que, como vocês os estruturaram, não garantem nenhuma dessas coisas. Em vez disso, os levam à guerra, a uma crescente* falta de liberdade, *à violência doméstica e às revoluções.*

Vocês não têm sido capazes de resolver os problemas básicos de alimentar pessoas e mantê-las sadias e vivas, muito menos de enfrentar o desafio de dar-lhes oportunidades iguais.

Centenas de vocês morrem todos os dias de fome em um planeta em que milhares de pessoas jogam fora todos os dias comida suficiente para alimentar nações.

Vocês não podem realizar a mais simples tarefa de dar as sobras "Daqueles Que Têm" para "Aqueles Que Não Têm" — muito menos de resolver se querem *partilhar seus recursos mais equitativamente.*

Mas Eu não estou fazendo julgamentos. *Essas verdades são* observáveis *em sua sociedade.*

Por quê? Por que *são*? Por que fizemos tão poucos progressos em todos esses anos no que diz respeito a resolver nossos próprios problemas?

Anos? Séculos*!*

Está bem, séculos.

Isso tem a ver com O Mito Cultural do Primeiro Ser Humano, e com todos os outros mitos que se seguiram. Enquanto esses mitos não mudarem, nada mudará. Porque seus mitos culturais determinam sua ética, e sua ética determina seus comportamentos. Mas seus mitos culturais vão contra seu instinto básico.

O que o Senhor quer dizer?

O Primeiro Mito Cultural é que os seres humanos são inerentemente maus. Esse é o mito do pecado original. O mito não só afirma que sua natureza básica é má, como que vocês nasceram *assim.*

O Segundo Mito cultural, que se origina do primeiro, é que "os mais fortes" sobreviverão.

Esse segundo mito afirma que alguns de vocês são fortes e outros fracos e que para sobreviver é preciso ser forte. Você fará tudo que puder para ajudar as outras pessoas, mas quando se tratar de sua própria sobrevivência, cuidará de si mesmo em primeiro lugar. Até mesmo deixará os outros morrerem. De fato, fará mais do que isso. Se achar que precisa — para sua própria sobrevivência e a de seus entes queridos — matar outras pessoas, presumivelmente os "fracos", desse modo definindo-se como "forte", você o fará.

Alguns de vocês dizem que esse é seu instinto básico. *É chamado de "instinto de sobrevivência", e esse mito cultural moldou grande parte da sua ética social, criando muitos de seus comportamentos de grupo.*

Contudo, seu "instinto básico" não *é de sobrevivência, mas de justiça, união e amor. Esse é o instinto básico de todos os seres sensíveis. É sua memória celular. Sua* natureza inerente. *Assim, é derrubado o seu primeiro mito cultural. Vocês* não *são inerentemente maus,* não *nasceram com o "pecado original".*

Se seu "instinto básico" fosse de "sobrevivência", e se sua natureza básica fosse "má", vocês nunca salvariam instintivamente *uma criança de uma queda, um homem de afogamento ou ninguém de coisa alguma. E, no entanto, quando agem de acordo com seus instintos básicos e revelam sua natureza básica sem* pensar *no que estão fazendo, é exatamente assim que se comportam,* mesmo correndo riscos.

Sendo assim, seu instinto "básico" não pode ser o de "sobrevivência", e obviamente sua natureza não é "má". Seu instinto e sua natureza devem refletir a essência de Quem Você É — justiça, união e amor.

Vendo as implicações sociais disso, é importante entender a diferença entre "justiça" e "igualdade". Não é um instinto básico de todos os seres sensíveis buscar igualdade, *ou ser iguais. De fato, o oposto é verdadeiro.*

O instinto básico de todos os seres humanos é expressar singularidade, não igualdade. Criar uma sociedade em que dois seres são realmente iguais não só é impossível, como indesejável. Os mecanismos sociais artificiais que tentam produzir a verdadeira igualdade — em outras palavras "igualdade" econômica, política e social — trabalham contra, não a favor da idéia mais grandiosa e do objetivo mais elevado, que é de cada ser humano ter a oportunidade de produzir o resultado de seu maior desejo e, portanto, realmente se recriar.

Para atingir esse objetivo é preciso igualdade de oportunidades, *não igualdade* de fato. *Isso é chamado de* justiça. *A igualdade de* fato — *produzida por forças exteriores e leis* — eliminaria, *não* produziria, *a justiça. Eliminaria oportunidades de verdadeira recriação, o que é o objetivo mais elevado de todos os seres iluminados.*

E o que criaria *igualdade de oportunidades? Os sistemas que permitiriam à sociedade satisfazer as necessidades básicas de sobrevivência de todos os indivíduos, deixando todos os seres livres para buscar seu desenvolvimento pessoal e se recriarem, em vez de terem de lutar pela própria sobrevivência. Em outras palavras, sistemas que imitam o verdadeiro sistema, chamado de vida, em que a* sobrevivência é garantida.

Como a sobrevivência não é um problema nas sociedades iluminadas, *essas sociedades nunca deixariam um de seus membros sofrer se houvesse o suficiente para todos. Em todas elas o interesse pessoal e mútuo são inseparáveis.*

Nenhuma sociedade criada ao redor de um mito de "maldade inerente" ou "sobrevivência dos mais fortes" poderia atingir esse nível de compreensão.

Sim, eu percebo isso. E essa questão do "mito cultural" é algo que quero examinar detalhadamente mais tarde, junto com os comportamentos e a ética das civilizações mais avançadas. Mas gostaria de voltar uma última vez ao que estávamos falando e continuar o que eu havia começado aqui.

Um dos desafios de falar com o Senhor é que Suas respostas nos levam em direções tão interessantes que às vezes eu me esqueço de onde comecei. Mas nesse caso não esqueci. Estávamos discutindo o casamento, o amor e suas exigências.

O amor não *faz exigências. É isso que o torna amor.*

Se o seu amor por outra pessoa inclui exigências de sua parte, então esse amor não é verdadeiro.

É isso que Eu tenho tentado lhe dizer aqui. Que disse, de dezenas de modos diferentes, nas respostas a todas as perguntas que você me fez.

Por exemplo, no contexto do casamento, há uma troca de votos que o amor não exige. Contudo, vocês *a exigem, porque não sabem o que* é *o amor. E por isso fazem seus parceiros prometer* o que o amor nunca pediria.

Então o Senhor *é* contra o casamento!

Eu não sou "contra" coisa alguma. Estou simplesmente escrevendo o que vejo.

E vocês podem mudar *o que vejo. Podem recriar a sua estrutura social chamada "casamento" para que o casamento* não *lhes peça o que o Amor nunca pediria, e em vez disso declarar* o que só o amor poderia declarar.

Em outras palavras, mudar os votos do casamento.

Mais do que isso. Mudar as expectativas *nas quais os votos se baseiam. Essas expectativas serão difíceis de mudar, porque são sua herança cultural. Por sua vez, surgem de seus mitos culturais.*

E assim voltamos aos mitos culturais. O que o Senhor pretende com isso?

Eu espero mostrar-lhe a direção certa. Sei para onde quer ir com sua sociedade, e espero encontrar palavras humanas e termos humanos que possam levá-lo até lá.

Posso dar-lhe um exemplo?

Sim.

Um dos seus mitos culturais é que o amor diz respeito a dar em vez de receber. Isso se tornou um imperativo cultural. E contudo está deixando vocês malucos, e causando mais danos do que poderiam imaginar.

Esse mito mantém as pessoas em maus casamentos, causa problemas em todos os tipos de relacionamento e, todavia, ninguém — nem seus pais, de quem esperam orientação; seus clérigos, de quem esperam inspiração; seus psicólogos e psiquiatras, de quem esperam clareza; seus escritores e artistas, de quem esperam liderança intelectual — ousa derrubá-lo.

E por isso são escritas canções, contadas histórias, produzidos filmes, dadas orientações, oferecidas preces e tomadas atitudes que perpetuam O Mito. Então todos vocês vivem de acordo com ele.

E não podem viver.

Entretanto, o problema não é vocês, é O Mito.

O amor *não* diz respeito a dar em vez de receber?

Não.

Não?

Não. Nunca foi assim.

Mas o Senhor mesmo acabou de afirmar que "o amor não faz exigências", e que *é isso que o torna amor.*

E é.

Bem, isso me soa como "dar em vez de receber".

Então você precisa reler o Capítulo Oito do Livro I. Tudo que Eu estou dizendo aqui expliquei lá. Este diálogo deveria ser lido em seqüência e ser considerado como um todo.

Eu sei. Mas para aqueles que não leram o Livro I, o Senhor poderia explicar o que quer dizer aqui? Porque, francamente, acho que até mesmo eu poderia tirar proveito dessa explicação e acho que agora estou *entendendo* isso!

Está bem. Então vou continuar.

Tudo que você faz, faz para si mesmo, porque você e todas as outras pessoas são Um Só.

Portanto, o que faz para os outros, faz para você, e o que não faz para os outros, não faz para você. O que é bom para outra pessoa é bom para você, e o que é ruim para outra pessoa é ruim para você.

Essa é a verdade mais básica. Contudo, é a que você mais ignora.

Seu relacionamento com outra pessoa só tem um objetivo: você decidir e declarar, criar e expressar, experimentar e realizar sua idéia mais elevada a respeito de Quem Realmente É.

Se você Realmente É uma pessoa gentil e atenciosa, dedicada e generosa, compassiva e amorosa — então quando está sendo *essas coisas com outras pessoas está proporcionando a seu* Eu *a experiência mais grandiosa para a qual foi habitar em um corpo.*

É por isso que você encarnou. *Porque somente na esfera física do relativo poderia se conhecer dessa forma. Na esfera do absoluto, da qual veio, essa experiência de conhecimento é impossível.*

Eu lhe expliquei tudo isso detalhadamente no Livro I.

Se Você Realmente É um ser que não ama seu Eu, que o deixa ser prejudicado e destruído por outras pessoas, então continuará a ter comportamentos que lhe permitem experimentar isso.

Porém, se realmente é uma pessoa gentil e atenciosa, dedicada e generosa, compassiva e amorosa, incluirá seu Eu *entre as pessoas com quem está* sendo *essas coisas.*

De fato, começará *por si mesmo.* Se colocará em primeiro lugar *no que diz respeito a isso.*

Na vida, tudo depende do que você está tentando ser. Por exemplo, se está tentando ser Um Só com todas as outras pessoas (isto é, experimentar *uma conceitualização que já sabe que é verdadeira) se comportará de um modo muito específico — que lhe permitirá experimentar e demonstrar sua Unicidade. E quando, como um resultado disso, fizer certas coisas, não achará que as está fazendo para* outra pessoa, *mas que as está fazendo* para seu Eu.

Isso ocorrerá não importa o que você está tentando ser. Se está tentando ser amor, fará coisas amorosas com as outras pessoas. Não para *elas, mas* com *elas.*

Note a diferença. A nuance. Você fará coisas amorosas com *elas,* para seu Eu *— de modo a pôr em prática e experimentar sua idéia mais grandiosa a respeito de seu Eu e de Quem Realmente É.*

Nesse sentido, é impossível fazer qualquer coisa *para alguém, porque o próprio ato de volição é* apenas isso: *um "ato". Você está* atuando. *Isto é, criando e representando um papel. Mas não está* fingindo. *Está realmente* sendo *isso.*

Você é um ser *humano, e o que está sendo é decidido e escolhido por você.*

Shakespeare disse que o mundo inteiro é um palco, e as pessoas são os atores.

Também disse: "Ser ou não ser, eis a questão."

Além disso, disse que para ser fiel a si mesmo, com a mesma naturalidade com que a noite segue o dia, você não pode trair nenhum homem.

Se você é fiel a si mesmo, não trai seu Eu. *Quando "parece" que está "dando", sabe que de fato está "recebendo". Você está literalmente se dando de volta para seu Eu.*

Seu ato de "dar" não pode realmente ser dirigido a outra pessoa, pelo simples motivo que não *há "outra pessoa". Se todos Nós somos Um Só, então só existe Você.*

Às vezes isso parece um "truque" semântico, um modo de mudar o significado das palavras.

Isso não é um truque, é magia! *E não tem nada a ver com mudar o significado das palavras. Tem a ver com mudar as percepções para mudar a experiência.*

Sua experiência de tudo se baseia em suas percepções, que se fundamentam em suas interpretações. E suas interpretações se apóiam em seus mitos. Isto é, no que lhe disseram.

Contudo, Eu lhe digo que seus mitos culturais não lhes serviram. Não os levaram para onde dizem que querem ir.

Ou vocês estão mentindo para si mesmos a respeito de aonde querem ir, ou não enxergam o fato de que não estão chegando lá. Não como indivíduos, não como um país e não como uma espécie ou raça.

Há outras espécies que estão?

Ah, sem dúvida que sim!

Está bem, eu já esperei o suficiente. Fale-me sobre elas.

Em breve. Muito em breve. Mas primeiro quero lhe falar sobre como vocês podem mudar sua invenção chamada "casamento", para que os leve mais perto de onde dizem que querem ir.

Não a destruam, não a ponham de lado — mudem-na.

Sim. Bem, eu realmente quero saber mais sobre isso. Quero saber se há *algum* modo de os seres humanos um dia poderem expressar o verdadeiro amor. Então termino esta parte do nosso diálogo onde comecei. Que limites devemos — de fato, alguns diriam *devemos* — colocar nessa expressão?

Nenhum. Nenhum limite. E é isso que seus votos de casamento deveriam afirmar.

Isso é surpreendente, porque é exatamente o que meus votos de casamento com Nancy *afirmaram*!

Eu sei.

Quando Nancy e eu decidimos nos casar, subitamente me senti inspirado a escrever todo um novo conjunto de votos de casamento.

Eu sei.

E Nancy me ajudou. Ela concordou em que não poderíamos fazer os votos que se tornaram "tradicionais" nos casamentos.

Eu sei.

Nós nos sentamos e criamos *novos* votos de casamento que "desafiaram o imperativo cultural", como o Senhor diria.

Sim, fizeram isso. E Eu fiquei muito orgulhoso.

E quando nós os estávamos escrevendo em um pedaço de papel para a pastora ler, realmente acho que estávamos inspirados.

É claro que sim!

O Senhor quer dizer...?

O que você acha, que Eu só o procuro quando está escrevendo livros?

Uau!

Sim... uau!
Então por que não escreve esses votos de casamento aqui?

Como?

Vá em frente. Você tem uma cópia deles. Escreva-os aqui.

Bem, nós não os criamos para partilhá-los com o mundo.

Quando este diálogo começou, você não sabia que nada *dele seria partilhado com o mundo.*

Então escreva.

Mas eu não quero que as pessoas pensem que estou dizendo: “Nós escrevemos os Votos de Casamento Perfeitos!”

De repente você ficou preocupado com o que as pessoas vão pensar?

Ora, vamos! O Senhor sabe o que quero dizer.

Olhe, ninguém está dizendo que esses são os “Votos de Casamento Perfeitos”.

Está bem.

São apenas os melhores feitos em seu planeta até hoje.

Ei!

Eu só estava brincando. *Vamos relaxar um pouco aqui.*

Coloque os votos no papel. Eu assumirei a responsabilidade por isso. E as pessoas os adorarão. Eles lhes darão uma idéia do que estamos falando. Você pode até mesmo convidá-las a fazer esses votos — que não são realmente “votos”, mas Declarações do Casamento.

Está bem, está bem! Eis o que Nancy e eu dissemos um para o outro quando nos casamos... graças à “inspiração” que tivemos:

Pastora:

Neale e Nancy vieram aqui esta noite para fazer uma promessa solene, ou um voto sagrado, para tornar *público* seu amor um pelo outro; revelar sua verdade; afirmar em voz alta sua decisão de viver, partilhar e crescer juntos, desejando que todos vocês se sintam uma parte muito real e íntima de sua decisão, tornando-a assim ainda mais forte.

Eles esperam que seu ritual de união una ainda mais *todos* nós. Se vocês estão aqui com seus cônjuges, que esta cerimônia seja um lembrete — uma reafirmação — do amor que os une.

Começaremos fazendo a pergunta: por que nos casamos? Neale e Nancy me deram a sua resposta. Agora eu quero lhes fazer essa pergunta mais uma vez para que possam estar certos de sua resposta, sua intenção, e firmar seu compromisso com a verdade que partilham.

(A pastora pega duas rosas vermelhas na mesa...)

Esta é a Cerimônia das Rosas, na qual Nancy e Neale revelam essa intenção e a celebram.

Nancy e Neale, vocês me disseram que é sua firme intenção não se casarem por motivos de segurança...

...que a única real segurança não está em ser dono de alguém ou pertencer a alguém...

...em exigir ou esperar que o que acham que precisam na vida será suprido pela outra parte...

...mas em saber que tudo que precisam na vida... todo o amor, *insight*, poder e conhecimento, e toda a sabedoria, compreensão, compaixão e força reside *dentro* de vocês...

...e que não estão se casando na esperança de *receber* essas coisas, mas de *dá-las,* de que a outra parte as tenha ainda em maior quantidade.

É essa a sua firme intenção esta noite?

(Eles respondem: "Sim.")

Nancy e Neale, vocês me disseram que é sua firme intenção não se casarem para de algum modo limitar, controlar ou impedir um ao outro de expressar claramente e celebrar o que há de mais elevado e melhor em vocês — inclusive seu amor por Deus, pela vida, pelas pessoas, pela criatividade, pelo trabalho ou *qualquer* aspecto que genuinamente os represente, e lhes dê alegria. Essa ainda é sua firme intenção esta noite?

(Eles respondem: "Sim.")

Finalmente, Nancy e Neale, vocês me disseram que não acham que o casamento traz *obrigações,* mas *oportunidades...*

...oportunidades de crescimento, de plena expressão de si mesmos, de realizar todo o seu potencial em suas vidas, de mudar qualquer falso pensamento ou idéia limitada que já tiveram sobre si mesmos, e de união máxima com Deus através da comunhão de suas duas almas...

...que essa é realmente uma Comunhão Sagrada... uma jornada pela vida ao lado de quem amam, em igualdade de condições, partilhando tanto o poder como as responsabilidades inerentes a todas as parcerias, carregando juntos todos os fardos que possam vir a ter de carregar e comprazendo-se com todas as suas glórias.

É isso que desejam fazer agora?

(Eles respondem: "Sim.")

Eu lhes dou estas rosas vermelhas, que simbolizam sua compreensão individual dessas coisas terrenas, sua consciência da vida que terão em sua forma física atual e na estrutura física chamada casamento. Dêem um ao outro estas rosas como um símbolo de seu amor e sua *aceitação* disso.

Agora, por favor, peguem estas rosa brancas, que simbolizam sua compreensão mais ampla de sua natureza e verdade espiritual. Elas representam a pureza de seu Eu Real e Mais Elevado, e a pureza do amor de Deus, que se reflete em vocês, agora e sempre.

(Ela dá a Nancy a rosa com a aliança de Neale na haste, e a Neale a rosa com a aliança de Nancy na haste.)

Que símbolos vocês trazem como um lembrete das promessas feitas hoje?

(Eles tiram as alianças das hastes e as entregam para a pastora, que as segura em sua mão e diz...)

O círculo é o símbolo do Sol, da Terra e do Universo. É o símbolo da santidade, perfeição e paz. Também é o símbolo da eternidade, da verdade espiritual, do amor e da vida... do que não tem início e nem fim. E neste momento, Neale e Nancy querem que também seja um símbolo de união, mas não de posse ou restrição; de envolvimento, mas não aprisionamento. Porque o amor não pode ser possuído, e tampouco restrito. E a alma nunca pode ser aprisionada.

Agora, Neale e Nancy, por favor, peguem as alianças que desejam dar um ao outro.

(Eles pegam as alianças.)

Neale, por favor, repita o que eu vou dizer.

Eu, Neale, peço a você, Nancy, que seja minha parceira, amada, amiga e esposa, e declaro minha intenção de lhe dedicar a minha mais profunda amizade e o meu mais profundo amor, não só nos bons como também nos maus momentos; não só quando você se lembrar claramente de Quem É, como também quando se esquecer; não só quando estiver agindo com amor, como também quando não estiver. Também declaro, diante de Deus e dos aqui presentes, que sempre tentarei ver a Luz da Divindade em você e partilhar a Luz da Divindade que há dentro de mim, mesmo — e *especialmente* — nos momentos de escuridão que possam surgir.

É minha intenção ficar com você para sempre, em uma Santa Parceria da Alma; que possamos realizar juntos o trabalho de Deus, partilhando tudo que há de bom em nós com todos aqueles cujas vidas tocarmos.

(A pastora se volta para Nancy.)

Nancy, você aceita o pedido de Neale para se tornar sua esposa?

(Ela responde: "Sim.")

Agora, Nancy, por favor, repita o que eu vou dizer.

Eu, Nancy... peço a você, Neale... *(Ela repete as palavras de Neale).*

(A pastora se volta para Neale.)

Neale, você aceita o pedido de Nancy para se tornar seu marido?

(Ele responde: "Sim.")

Então, por favor, peguem as alianças que darão um ao outro e repitam o que eu vou dizer: com esta aliança eu o (a) desposo... aceito a aliança que você me dá... *(eles trocam as alianças)*... e a coloco em minha mão *(eles as colocam em suas mãos)*... para que todos saibam ... do meu amor por você.

(A pastora encerra...)

Nós temos plena consciência de que só um casal pode administrar o sacramento do matrimônio um para o outro, e só um casal pode santificá-lo. Nem minha Igreja e nem qualquer poder que me possa ser delegado pelo Estado, confere-me autoridade para declarar o que apenas dois corações podem declarar, e o que apenas duas almas podem tornar real.

E por isso, agora, já que *você,* Nancy, e *você,* Neale, anunciaram as verdades que já estavam escritas em seus corações na presença de seus amigos, e do Único Espírito Vivo, observamos alegremente que *vocês* se declararam... marido e mulher.

Agora vamos orar juntos.

Espírito de Amor e Vida, neste mundo tão vasto, duas almas se encontraram. Seus destinos serão agora unidos, e elas partilharão seus momentos de alegria e tristeza.

Neale e Nancy, que seu lar possa ser um lugar de felicidade para todos que ali entrem; onde o velho e o novo se renovam na companhia um do outro; para crescer e partilhar, música e riso, oração e amor.

Que todos aqueles que os cercam possam constantemente ser enriquecidos pela beleza e generosidade do amor que sentem um pelo outro, que seu trabalho possa ser uma alegria em suas vidas e servir ao mundo, e que sua permanência na Terra seja boa e prolongada.

Amém.

Eu fico tão comovido com isso! Sinto-me tão honrado e abençoado por ter encontrado alguém em minha vida que poderia repetir essas palavras comigo! Meu bom Deus, obrigado por me enviar a Nancy.

Você é uma dádiva para ela também.

Espero ser.

Confie em Mim.

O Senhor sabe do que eu gostaria?

Não. De quê?

Que todas as pessoas pudessem fazer essas Declarações, copiá-las e usá-las em *seus* casamentos. Se fizessem isso, aposto que as taxas de divórcio cairiam muito.

Algumas pessoas teriam dificuldade em dizer essas coisas — e muitas teriam dificuldade em permanecer fiéis a elas.

Eu só espero que *nós* possamos permanecer fiéis a elas! Quero dizer, o problema em colocar estas palavras aqui é que agora teremos de agir de acordo com elas.

Vocês não pretendiam fazer isso?

É claro que pretendíamos. Mas somos humanos, como todo mundo. E se falharmos, se algo acontecer com o nosso relacionamento, ou se decidirmos *terminá-lo*, as pessoas ficarão desiludidas.

Isso é bobagem. Elas saberão que vocês estão sendo fiéis a si mesmos, que fizeram outra escolha. Lembre-se do que Eu lhe disse no Livro I. Não confunda a duração com a qualidade do seu relacionamento. Você e Nancy não são ícones, e ninguém deveria considerá-los como tal — e vocês também não deveriam se considerar. Sejam apenas humanos. Totalmente humanos. Se mais tarde decidirem mudar seu modo de se relacionar, têm o direito mudá-lo. É essa a razão de todo este diálogo.

E das declarações que fizemos!

Exatamente. Que bom que você percebeu isso!

Sim, eu *gosto* dessas Declarações de Casamento e estou feliz por as termos escrito! Esse é um modo novo e maravilhoso de começar uma vida conjugal. Não pedir mais para a mulher prometer "amar, honrar e obedecer". Os homens hipócritas e egoístas é que exigiam isso.

Você está certo, é claro.

E ainda era mais hipocrisia e egoísmo eles afirmarem que essa superioridade masculina era estabelecida por Deus.

Mais uma vez, você está certo. Eu nunca estabeleci uma coisa dessas.

Finalmente, votos de casamento que foram realmente inspirados por Deus! Votos que não tornam *ninguém* escravo ou propriedade de ninguém. Que falam a verdade sobre o amor. Que não impõem limites, mas só prometem liberdade! Votos aos quais todos os corações podem *permanecer fiéis.*

Alguns dirão: "É claro que qualquer pessoa pode manter votos que não exigem nada dela!" Como você responderia a isso?

Eu diria: "É muito mais difícil deixar as pessoas livres do que controlá-las. Quando as controla, obtém o que *você* quer. Quando as deixa livres, obtém o que *elas* querem."

Essas são palavras muito sábias.

Eu tive uma idéia maravilhosa. Acho que deveríamos fazer um folheto com essas Declarações de Casamento, uma espécie de livrinho de orações para as pessoas usarem no dia de seus casamentos. Poderia conter não só essas palavras, mas toda a cerimônia, e observações importantes sobre o amor e os relacionamentos tiradas dos três livros que formaram este diálogo, assim como algumas preces especiais e meditações sobre o casamento, ao qual o Senhor *não* se opõe!

Eu estou muito feliz, porque por um momento achei que era contra o casamento.

Como Eu poderia ser? Todos *nós somos casados. Casados* uns com os outros — *agora e para sempre. Somos unidos. Um Só. A Nossa é a maior cerimônia de casamento que já foi realizada. Meu voto para vocês é o voto mais solene já feito. Eu sempre os amarei e deixarei livres para fazer o que quiserem. Meu amor nunca os cerceará de forma alguma, e por isso vocês finalmente hão de me amar — porque a liberdade para Ser Quem São é seu maior desejo, e Minha maior dádiva.*

Você Me aceita agora como seu parceiro e co-criador, seguindo as leis superiores do Universo?

Sim.

E o *Senhor* me aceita agora como Seu parceiro, e co-criador?

Sim, e sempre aceitei. Agora e por toda a eternidade somos Um Só.

Amém.

Capítulo 9

Eu sinto admiração e respeito ao ler essas palavras. Obrigado por estar aqui comigo. Com todos nós. Porque milhões leram suas palavras nesses diálogos e milhões ainda as lerão. E é um presente maravilhoso o Senhor entrar em nossos corações.

Meus seres mais queridos — eu sempre estive em seus corações. Mas estou feliz por agora realmente Me sentirem lá.

Eu sempre estive com vocês. Nunca os abandonei. Eu sou vocês, e vocês são Eu, e Nós nunca, nunca *seremos separados, porque isso não é* possível.

Ei, espere um minuto! Isso parece *déjà vu*. Já não dissemos todas essas palavras?

É claro que sim! Leia o início do Capítulo 7. Só que agora elas significam ainda mais do que significaram na primeira vez.

Não seria ótimo se o *déjà vu* fosse real, e se às vezes *experimentássemos* algo "novamente" para podermos entendê-lo melhor?

O que você acha?

Acho que às vezes é *exatamente* isso que acontece!

A menos que não seja.

A menos que não seja!

Muito bem! Bravo de novo. Você está aprendendo tudo tão rápido que isso está se tornando assustador.

É mesmo, *não é*? Agora tenho algo sério que preciso discutir com o Senhor.

Sim, Eu sei. Vá em frente.

Quando a alma se une ao corpo?

Quando acha que isso acontece?

Quando a alma escolhe.

Ótimo!

Mas as pessoas querem uma resposta mais definitiva. Querem saber quando a vida começa. A vida como a conhecem.

Eu compreendo.

Então qual é o sinal? É o corpo sair do útero — o nascimento físico? O momento da concepção, a união física dos elementos da vida física?

A vida não tem começo, porque não tem fim. A vida meramente se expande; cria novas formas.

Deve ser como aquele material viscoso nas lamparinas de lava aquecida que eram tão populares nos anos 1960. O material formava grandes bolas no fundo, que subiam ao ser aquecidas e se separavam formando novas bolas, juntavam-se no topo e caíam em forma de cascata formando bolas ainda maiores e começando tudo de novo. Nunca havia bolas "novas" no tubo. Era tudo *o mesmo material,* "parecendo" *novo* e *diferente.* A variedade era infinita, e era fascinante observar o processo se repetindo.

Essa foi uma ótima metáfora. É isso que ocorre com as almas. A Única Alma — que é realmente Tudo Que Existe — se transforma em partes cada vez menores de Si mesma. Todas as "partes" estavam lá desde o começo. Não havia partes "novas", apenas partes do Todo Que Sempre Existiu, transformando-se no que "parecem" ser partes novas e diferentes.

Há uma ótima canção popular composta e cantada por Joan Osborne que pergunta: "E se Deus fosse um de nós? Apenas um palerma como um de nós?" Eu vou lhe pedir para mudar a letra para: "E se Deus fosse um de nós? Apenas uma 'bola' como um de nós?"

Há! Essa é ótima! E você sabe, a música dela foi maravilhosa. Mexeu com a cabeça das pessoas em todo o mundo, que não podiam suportar a idéia de que Eu não fosse melhor do que qualquer uma delas.

Esse é um comentário interessante, não só sobre Deus, como sobre a raça humana. Se consideramos uma blasfêmia Deus ser comparado com qualquer um de nós, o que isso diz sobre nós?

De fato, o quê?

Contudo, o Senhor *é* "um de nós". É exatamente isso que está dizendo aqui. Então Joan estava certa.

Sim, estava.

Eu quero voltar à minha pergunta. O Senhor pode nos dizer algo sobre quando a vida, como a conhecemos, começa? Em que momento a alma entra no corpo?

A alma não entra no corpo. O corpo é envolvido pela alma. Lembra-se do que Eu disse antes? O corpo não abriga a alma. Ocorre o contrário.

Tudo está sempre vivo. Não existe "morte".

O Que Está Sempre Vivo simplesmente assume uma nova forma física. Essa forma sempre é cheia de energia vital.

A vida — se você chama de vida a energia que Eu Sou — está sempre lá. Nunca *deixa de estar. Se a vida nunca* termina, *como pode haver um momento em que* começa?

Então me ajude aqui. O Senhor sabe onde estou tentando chegar.

Sim, sei. Você quer que Eu entre no debate sobre o aborto.

Sim! Admito isso! Quero dizer, estou com Deus aqui e quero ter uma chance de fazer uma pergunta monumental. Quando a vida começa?

E a resposta é tão monumental que você não consegue ouvi-la.

Tente me responder de novo.

A vida nunca *"começa" porque nunca* termina. *Vocês querem entrar no campo biológico para poderem estabelecer uma "regra" de comportamento baseada no que chamam de "lei de Deus" — e depois punir as pessoas se elas não a seguirem.*

O que há de errado em agirmos assim? Isso nos permitiria matar impunemente médicos nos estacionamentos das clínicas de aborto.

Sim, Eu compreendo. Vocês Me usaram e usaram o que afirmaram ser Minhas leis *como uma justificativa para fazer todos os tipos de coisas ao longo destes anos.*

Ora, vamos! Por que o Senhor não diz logo que interromper uma gravidez é assassinato?

Você não pode matar ninguém ou coisa alguma.

Não. Mas pode matar sua "individualização"! E em nossa língua, isso é *assassinato.*

Você não pode interromper o processo em que uma parte de Mim se expressa individualmente de um determinado modo sem que a parte de Mim que está se expressando desse modo concorde.

O quê? O que está dizendo?

Estou dizendo que nada acontece contra a vontade de Deus.

A vida, e tudo que está acontecendo, é uma expressão da vontade de Deus — leia-se, da sua *vontade — se manifestando.*

Eu já disse neste diálogo que a sua vontade é a Minha vontade, porque só há Um de Nós.

A vida *é a vontade de Deus,* manifestando-se perfeitamente. *Se algo estivesse acontecendo* contra *a Minha vontade, não poderia acontecer. Por definição de Quem e Do Que Deus É,* não poderia acontecer. *Você acha que uma alma pode* decidir algo *por outra? Acha que, como indivíduos, vocês podem afetar uns aos outros de modos que não querem ser afetados? Essa crença teria de se basear na idéia de que vocês estão separados uns dos outros.*

Você acha que pode afetar a vida de um modo que Deus não quer que seja afetada? Essa crença teria de se basear na idéia de que vocês estão separados de Mim.

As duas idéias são falsas.

É de uma arrogância sem limites vocês acharem que podem afetar o Universo de um modo que o Universo não quer ser afetado.

Vocês estão lidando com forças poderosas aqui, e algumas pessoas acreditam que são mais poderosas do que a força mais poderosa. Mas não são. E tampouco são menos *poderosas do que a força mais poderosa.*

Vocês são *a força mais poderosa. Nem mais nem menos do que isso. Então deixem a força estar com vocês!*

O Senhor está dizendo que eu não posso matar pessoas sem a permissão delas? Que, em um nível superior, todas que já foram mortas *concordaram* em ser mortas?

Você está pensando nas coisas em termos terrenos, e nada disto fará sentido para você.

Eu não posso *evitar* pensar em "termos terrenos". Estou *aqui, agora,* na terra!

Eu lhe digo que você "está neste mundo, mas não é dele".

Então a minha realidade terrena não é a realidade?

Achou mesmo que era?

Eu não sei.

Nunca pensou: "Há algo mais acontecendo aqui?"

É claro que sim.

É isso que está acontecendo. Eu estou explicando o que é para você.

Está bem. Então acho que agora posso sair e matar quem quiser, porque não poderia fazer isso se a pessoa não concordasse!

De fato, a raça humana age assim. É interessante notar que vocês estão tendo muitos problemas com isso, contudo agem como se fosse mesmo verdade.

Ou, pior ainda, matam pessoas contra *a vontade delas, como se isso não importasse!*

É claro que importa! É só que o que queremos importa *mais.* O Senhor não está entendendo? Quando nós, seres humanos, matamos alguém, não estamos dizendo que o fato de termos feito isso não importa. Seria leviandade pensar assim. É só que o que *nós* queremos importa *mais.*

Eu compreendo. Então é mais fácil para vocês aceitar que é certo matar as pessoas contra *a vontade delas. Isso vocês podem fazer impunemente.*

Eu nunca disse isso. Não é o que os seres humanos pensam.

Não? Deixe-Me mostrar-lhe o quanto alguns de vocês são hipócritas. Vocês dizem que é certo matar pessoas contra *a vontade delas desde que* vocês *tenham um bom* motivo *para querer que morram, como, por exemplo, no caso de uma guerra ou execução — ou de um médico no estacionamento de uma clínica de aborto. No entanto, se as pessoas acharem que* elas *têm um bom motivo para querer morrer, vocês podem não ajudá-las a morrer. Isso seria "suicídio assistido", e uma coisa errada!*

O Senhor está brincando comigo.

Não, vocês *estão brincando Comigo. Estão dizendo que Eu* toleraria *o fato de uma pessoa ser morta contra a vontade dela e* condenaria *o fato de uma pessoa ser morta porque assim o desejou.*

Isso é loucura.

Vocês não só não conseguem enxergar essa loucura como afirmam que aqueles que a apontam *para vocês são loucos.* Vocês *são os únicos que têm a cabeça no lugar, e eles são apenas encrenqueiros.*

E esse é o tipo de lógica com a qual constroem vidas e teologias inteiras.

Eu nunca vi isso dessa forma.

Eu lhe digo que chegará o tempo em que vocês verão as coisas de uma nova forma. Esse será o momento de seu renascimento, como indivíduos e como uma sociedade. Vocês devem recriar seu mundo agora, antes de destruí-lo com sua loucura.

Agora preste atenção ao que Eu vou lhe dizer.

Todos nós somos Um Só.

Só há Um de Nós.

Vocês não são separados de Mim, e tampouco uns dos outros.

Tudo que Nós fazemos, fazemos de comum acordo. Nossa realidade é co-criada. Se vocês interrompem uma gravidez, Nós interromperemos uma gravidez. Sua vontade é a Minha vontade.

Nenhum aspecto individual da Divindade tem poder sobre qualquer outro aspecto dos Seus aspectos. Não é possível uma alma afetar outra contra a sua vontade. Não há vítimas e vilões.

Você não pode entender isso da sua perspectiva limitada; mas Eu lhe digo que é assim.

Só há um motivo para ser, fazer ou ter alguma coisa — afirmar Quem Vocês São. Se Quem Vocês São, como indivíduos e como uma sociedade, é quem escolhem e desejam ser, não há razão para mudar coisa alguma. Se, por outro lado, vocês acharem que há uma experiência mais grandiosa esperando por ser tida — e até mesmo uma expressão maior da Divindade do que a que está sendo manifestada — tomem o rumo dessa verdade.

Como todos Nós estamos co-criando, pode Nos ser útil fazer o possível para mostrar às outras pessoas o caminho que algumas partes de Nós desejam seguir. Você pode ser aquele que mostra o caminho, demostrando a vida que gostaria de criar e convidando outras pessoas a seguir seu exemplo. Poderia até mesmo dizer: "Eu sou a vida e o caminho. Sigam-me." Mas tenha cuidado. Houve quem fosse crucificado por fazer essas afirmações.

Obrigado pelo aviso. Eu serei discreto.

Estou vendo que você é muito bom nisso.

Bem, quando o Senhor diz que estamos tendo uma conversa com Deus, não é fácil ser discreto.

Como outros descobriram.

O que poderia ser um bom motivo para eu ficar de boca fechada.

É um pouco tarde para isso.

Bem, e de quem é a culpa?

Eu entendo o que você quer dizer.

Está bem. Eu O perdôo.

Perdoa?

Sim.

Como pode Me perdoar?

Eu entendo por que o Senhor fez isso. Por que me procurou e começou este diálogo. E quando eu entendo por que algo foi feito, posso perdoar quem o fez por todos os problemas que isso possa ter me causado ou criado.

Hmmm. Isso é interessante. Eu posso ser tão magnificente quanto você.

Touché.

Você tem um relacionamento incomum Comigo. De alguns modos, acha que nunca poderia ser tão magnificente quanto Eu, e de outros, acha que Eu não poderia ser tão magnificente quanto você.

Não acha isso interessante?

Fascinante.

É porque acha que Nós somos separados. Tiraria essa idéia da cabeça se achasse que Somos Um Só.

Essa é a principal diferença entre a sua cultura — que realmente ainda é um "bebê", uma cultura primitiva — e as culturas muito evoluídas do Universo. A diferença mais significativa é que nas culturas muito evoluídas todos os seres sensíveis sabem que não existe separação entre si mesmos e o que chamam de "Deus".

Eles também sabem claramente que não existe separação entre si mesmos e os outros. Sabem que cada qual está tendo uma experiência individual do todo.

Ah, ótimo! Agora o Senhor vai falar sobre as sociedades mais evoluídas do Universo. Eu estava esperando por isso.

Sim, acho que é hora de falarmos sobre esse assunto.

Mas antes quero voltar uma última vez ao tema do aborto. O Senhor não está dizendo aqui que, como nada pode acontecer com a alma humana contra a sua vontade, é certo matar as pessoas, está? Não está a favor do aborto, ou nos "desviando" desse tema, está?

Eu não sou a favor ou contra o aborto mais do que sou a favor ou contra a guerra.

Os povos de todos os países acham que Eu sou a favor da guerra que estão travando, e contra a que seus oponentes estão travando. Acham que "Deus está do seu lado". Todas as causas presumem a mesma coisa. Na verdade, todas as pessoas *acham a mesma coisa — ou pelo menos* esperam *que seja verdade sempre que qualquer decisão é tomada.*

E você sabe por que *todas as criaturas acham que Deus está do seu lado?* Porque Eu estou. *E todas as criaturas sabem intuitivamente disso.*

Esse é apenas outro modo de dizer: "O que vocês querem para vocês é o que Eu quero para vocês." E esse *é apenas outro modo de dizer que Eu lhes dei* livre-arbítrio.

Não há livre-arbítrio se o ato de exercê-lo resulta em punições. Isso o tornaria inútil.

Então no que diz respeito ao aborto ou à guerra, a comprar um carro ou se casar com uma pessoa, ter ou não sexo, "fazer ou não o seu dever", não existe certo e errado, e Eu não tenho preferências.

Vocês todos estão realizando o processo de se definirem. Todo ato é um ato de autodefinição.

Se estão satisfeitos como o modo como se criaram, se ele lhes serve, continuarão a agir dessa maneira. Se não estão, deixarão de agir assim. Isso se chama evolução.

O processo é lento porque, enquanto vocês evoluem, ficam mudando suas idéias a respeito do que realmente lhes serve; mudando suas idéias sobre o "prazer".

Lembre-se do que Eu disse antes. Você pode saber o quanto uma pessoa ou sociedade evoluiu pelo que essa pessoa ou sociedade chama de "prazer". E, acrescentarei aqui, pelo que declara que lhe serve.

Se lhe serve ir para a guerra e matar outros seres humanos, fará isso. Se lhe serve interromper uma gravidez, fará isso. A única coisa que muda quando você evolui é sua idéia a respeito do que lhe serve. E essa idéia se baseia no que acha que está tentando fazer.

Se você está tentando ir para Seattle, não lhe servirá tomar o rumo de San Jose. Não é "moralmente errado" ir para San Jose — simplesmente isso não lhe serve.

Portanto, a questão do que você está tentando fazer se torna uma questão da máxima importância. *Não só em sua vida em geral, mas em cada* momento *da sua vida. Porque é nos* momentos *da vida que a própria vida é criada.*

Tudo isso foi explicado muito detalhadamente no início do nosso diálogo sagrado, que você chamou de Livro I. Eu o repito aqui porque você parece precisar de um lembrete, ou nunca teria Me feito a pergunta sobre o aborto.

Dessa maneira, quando você está prestes a fazer um aborto, fumar um cigarro, fritar e comer um animal, matar uma pessoa no trânsito — não interessa se a escolha é de pequena ou grande importância — só há uma questão a considerar: esse é Quem Eu Realmente Sou? É quem escolho agora ser?

E entenda isto: nada é despropositado. *Tudo tem uma conseqüência. A conseqüência é quem e o que você é.*

Você está definindo seu Eu neste momento.

Essa é a resposta para a pergunta sobre o aborto. A resposta para a pergunta sobre a guerra. E a resposta para as perguntas sobre o ato de fumar, o consumo de carne e todas as perguntas sobre o comportamento que vocês já fizeram.

Todo ato é um ato de autodefinição. Tudo que você pensa, diz e faz declara: "Esse é Quem Eu Sou".

Capítulo 10

Meus queridos filhos, Eu quero lhes dizer que essa questão de Quem Vocês São e Escolhem Ser é da maior importância. Não só porque determina sua experiência, mas também porque cria a natureza da Minha.

Durante todas as suas vidas lhes foi dito que Deus os criou. Agora Eu lhes digo que vocês estão criando Deus.

Sei que é difícil compreender isso. E, contudo, é necessário, para que façam o verdadeiro trabalho que lhes cabe fazer.

Esse trabalho que Eu e vocês faremos é santo. Esse é o solo sagrado em que Nós caminhamos.

Esse é O Caminho.

Em todos os momentos Deus Se expressa em vocês, como vocês e através de vocês. Vocês sempre escolhem como Deus será criado agora, e Deus nunca escolherá isso por vocês, ou os punirá por fazerem a escolha "errada". Entretanto, nunca deixarão de ter orientações a respeito desses assuntos. Dentro *de vocês há um sistema de orientação interna que lhes mostra o caminho de volta ao lar. Essa é a voz que sempre lhe fala sobre sua escolha mais elevada, e que coloca à sua frente sua visão mais grandiosa. Tudo de que vocês precisam é prestar atenção à voz, e não ignorar a visão.*

Durante toda a sua história Eu lhes enviei mestres. Durante todo tempo Meus mensageiros os alegraram com ótimas mensagens.

As Escrituras Sagradas foram escritas, e vidas foram vividas, para que vocês pudessem ter conhecimento desta verdade eterna: Vocês e Eu somos Um Só.

Agora Eu lhes envio novamente Escrituras — vocês estão segurando uma delas nas mãos. Agora Eu lhes envio mensageiros que tentam lhes levar a Palavra de Deus.

Vocês ouvirão essas palavras? Ouvirão esses mensageiros? Irão se tornar um deles?

Essa é a grande pergunta. Esse é o grande convite. Essa é a decisão gloriosa. O mundo espera por suas declarações. E vocês as fazem vivendo suas vidas.

A raça humana não tem chance de se erguer de seus pensamentos inferiores enquanto vocês não se erguerem até suas idéias mais elevadas.

Essas idéias, expressadas através de vocês, como vocês, criam o padrão, preparam o palco, servem como um modelo para o próximo nível da experiência humana.

Vocês são a vida e o caminho. O mundo os seguirá. Vocês não têm outra escolha a esse respeito. É a única coisa a respeito da qual não têm livre-arbítrio. É simplesmente O Modo como É. Seu mundo seguirá suas idéias sobre si mesmos. Sempre foi assim e sempre será. Primeiro vêm seus pensamentos sobre si mesmos, depois o mundo exterior de manifestação física.

O que vocês pensam, criam. O que criam, tornam-se. O que se tornam, expressam. O que expressam, experimentam. O que experimentam, são.

O que são, pensam.

O círculo está completo.

O trabalho santo em que estão engajados realmente apenas começou, porque agora, finalmente, vocês entendem o que estão fazendo.

Foram vocês mesmos que fizeram com que vocês entendessem e se importassem com isso. E agora vocês de fato *se importam, mais do que nunca, com Quem Realmente São. Porque agora, finalmente, vêem todo o quadro.*

Eu sou quem vocês são.

Vocês estão definindo Deus.

Eu lhes enviei uma parte abençoada de Mim em forma física para Eu poder Me conhecer experimentalmente *como tudo que sei que sou* conceitualmente. *A vida existe como uma ferramenta para Deus transformar conceito em experiência.*

Existe para vocês fazerem o mesmo. *Porque vocês* são *Deus, fazendo isso.*

Eu escolho Me recriar em todos os momentos. Escolho experimentar a versão mais grandiosa da visão mais elevada que já tive de Quem Sou. Eu os criei para que pudessem Me recriar. Esse é o Nosso trabalho santo. Essa é a Nossa maior alegria. Essa é a Nossa própria razão de existir.

Capítulo 11

Eu tenho apenas mais algumas perguntas para fazer relacionadas com esses "seres evoluídos", e então terminarei este diálogo.

Meu Querido, você nunca *o terminará. Ele será eterno. E agora que está realmente interessado nessa conversa com Deus, ela logo o levará à amizade. Todas as boas conversas levam à amizade, e logo sua conversa com Deus levará a uma* Amizade com Deus.

Eu sinto isso. Sinto que realmente nos tornamos *amigos.*

E, como ocorre em todos os relacionamentos, essa amizade, se for alimentada e tiver oportunidade de crescer, acabará produzindo um sentimento de comunhão. Você sentirá e experimentará seu Eu como estando em Comunhão com Deus.

Essa será uma Comunhão Sagrada, porque falaremos como Um só.

Então este diálogo continuará?

Sim, para sempre.

E eu não terei de Lhe dizer adeus no final deste livro?

Você nunca tem de dizer adeus. Só tem de dizer olá.

O Senhor é maravilhoso, sabia disso? Simplesmente maravilhoso.

E você também é, Meu filho. Também é.
Como todos os Meus filhos, em toda parte, são maravilhosos.

O Senhor disse filhos "em toda parte"?

É claro que sim.

Não, quero dizer literalmente, *em toda parte*. Há vida nos outros planetas? Há filhos Seus em outras partes do Universo?

Mais uma vez, é claro que sim.

Existem civilizações mais avançadas?

Existem algumas sim.

Em que sentido são mais avançadas?

Em todos os sentidos. Tecnologicamente. Politicamente. Socialmente. Espiritualmente. Fisicamente. E psicologicamente.

Por exemplo, sua insistência em comparações, e sua constante necessidade de caracterizar algo como "melhor" ou "pior", "superior" ou "inferior", "bom" ou "ruim", demonstra o quanto foram longe na dualidade; o quanto mergulharam fundo no separatismo.

Nas civilizações mais avançadas o Senhor não observa essas características? O que quer dizer com dualidade?

O nível de avanço de uma sociedade inevitavelmente se reflete no grau de pensamento dual. A evolução social é demonstrada por seu movimento em direção da unidade, não do separatismo.

Por quê? Por que a unidade é tão difícil?

Porque a unidade é a verdade. O separatismo é a ilusão. Enquanto uma sociedade se considerar separada — um conjunto de unidades separadas — viverá na ilusão.

Toda vida em seu planeta se baseia no separatismo, que se baseia na dualidade.

Vocês se consideram famílias ou clãs separados, reunidos em bairros, estados ou países separados, formando um mundo ou planeta separado.

Acham que seu mundo é o único habitado no Universo, e sua nação é a melhor que existe na Terra. Acham que seu estado é o melhor da nação, e sua família é a mais maravilhosa do estado.

Finalmente, acham que são *melhores do que todos em sua família.*

Ah, vocês dizem que não *pensam nada disso, mas* agem como se pensassem.

Seus verdadeiros pensamentos se refletem diariamente em suas decisões sociais, suas conclusões políticas, suas determinações religiosas e suas escolhas econômicas e individuais de tudo, de amigos a sistemas de crença e a seu próprio relacionamento com Deus. Isto é, Comigo.

Vocês se sentem tão separados de mim que imaginam que Eu nem mesmo falarei com vocês. E por isso negam a veracidade de sua própria experiência. Experimentam *que são Um Só Comigo, mas se recusam a* acreditar nisso. *Portanto, separam-se não só uns dos outros, como também de sua própria verdade.*

Como uma pessoa pode se separar de sua própria verdade?

Ignorando-a. Vendo-a e negando-a. Ou mudando-a, distorcendo-a para que corresponda a uma noção preconcebida que vocês têm sobre ela.

Veja a pergunta com que você começou aqui. Perguntou se há vida em outros planetas. Eu respondi "é claro que sim", porque são muitas as evidências. Tão óbvias que Eu fiquei surpreso por você fazer essa pergunta.

Contudo, é assim que uma pessoa pode ser "separada da sua própria verdade": olhando-a tão diretamente que é impossível não vê-la, e depois negando o que vê.

O mecanismo aqui é a negação. E nenhuma negação é mais insidiosa do que a autonegação.

Vocês passaram suas vidas inteiras negando Quem e O que Realmente São.

Já seria bastante triste se limitassem suas negações a coisas menos pessoais, como a destruição da camada de ozônio e de florestas antigas, e o modo horrível como tratam seus jovens. Mas vocês não se contentam em negar tudo o que vêem ao seu redor. Não descansam enquanto não negam também tudo que o vêem dentro *de si mesmos.*

Vocês vêem dentro de si mesmos bondade e compaixão, mas as negam. Vêem sabedoria, mas a negam. Vêem possibilidades infinitas, mas as negam. E vêem e experimentam Deus dentro de vocês, e contudo o negam.

Vocês negam que Eu estou dentro de vocês — que sou *vocês — e com isso Me negam Meu lugar justificado e óbvio.*

Eu não O nego e nunca O neguei.

Você admite que É Deus?

Bem, eu não diria *isso...*

Exatamente. E Eu lhe digo que "antes do galo cantar você Me negará três vezes".

Com seus próprios pensamentos.

Com suas próprias palavras.

Com seus próprios atos.

Você sabe no fundo do seu coração *que Eu estou com você, em você; que Somos Um Só. Contudo Me nega.*

Ah, alguns de vocês dizem que Eu existo. Mas fora de vocês. Em algum lugar. *E quanto mais longe imaginam que Eu esteja, mais se afastam da sua própria verdade.*

Como ocorre com muitas outras coisas na vida — da destruição dos recursos naturais do seu planeta aos abusos contra crianças em tantos dos seus lares — vocês vêem, mas não acreditam no que vêem.

Mas por quê? *Por quê?* Por que vemos e não acreditamos?

Porque estão tão presos à ilusão que não podem ver além dela. De fato, não *podem ver, para que a ilusão continue. Essa é a Dicotomia Divina.*

Vocês devem *me negar para continuar tentando* se tornar *Eu. E é isso que estão querendo fazer. Porém, não podem se tornar o que já são. Por isso a negação é importante. É uma ferramenta útil.*

Até não ser mais.

O mestre sabe que a negação é para aqueles que estão escolhendo que a ilusão continue. A aceitação é para aqueles que escolhem que a ilusão termine.

Aceitação, proclamação, demonstração. Esses são os três passos para Deus. A aceitação de Quem e Do Que Você Realmente É. A proclamação disso para todo o mundo. E sua demonstração de todos os modos.

A proclamação de si mesmo é sempre seguida de demonstração. Você demonstrará que seu Eu é Deus — como agora demonstra o que pensa do seu Eu. Toda a sua vida é uma demonstração disso.

Todavia, com essa demonstração você enfrentará o seu maior desafio. Porque quando parar de negar seu Eu, outros o negarão.

No momento em que você proclamar sua Unicidade com Deus, outros proclamarão sua parceria com Satanás.

No momento em que você falar a maior verdade, outros dirão que é a maior blasfêmia.

E, como acontece com todos os mestres que demonstram tranqüilamente sua mestria, será ao mesmo tempo adorado e insultado, enaltecido e denegrido, honrado e crucificado. Porque, embora para você o ciclo tenha terminado, aqueles que ainda vivem na ilusão não saberão o que fazer com você.

E o que acontecerá comigo? Eu não compreendo. Estou confuso. Pensei que o Senhor tinha dito repetidamente que a ilusão deve continuar, que o "jogo" deve continuar, para haver algum jogo.

Sim, Eu disse isso. E deve. O jogo deve continuar. Porque o fato de um ou dois de vocês terminarem o ciclo da ilusão não faz o jogo terminar — nem para vocês, nem para os outros jogadores.

O jogo não termina enquanto a Totalidade de Tudo não se torna Um Só novamente. Mesmo então não está terminado. Porque no momento da reunião divina, a Totalidade de Tudo será tão magnificente, tão intensa, que Eu-Vocês-Nós literalmente explodiremos de alegria — e o ciclo começará de novo.

O jogo nunca *terminará, Meu filho. Nunca terminará. Porque o jogo é a própria vida, e a vida É Quem Nós Somos.*

Mas o que acontece com o elemento individual, ou a "Parte do Todo", como o Senhor a chama, que atinge a mestria, o total conhecimento?

Esse mestre sabe que apenas sua parte do ciclo está completa. Que apenas sua experiência da ilusão terminou.

Agora o mestre ri, porque vê o seu plano. Vê que mesmo ao completar o ciclo o jogo continua; a experiência continua. Então também vê o papel que agora pode representar na experiência. Seu papel é levar outros à mestria. E continua a representá-lo, mas de outro modo, e com novas ferramentas. Porque ver a ilusão lhe permite evitá-la. O mestre fará isso quando servir ao seu objetivo e prazer. Dessa forma, proclama e demonstra sua mestria, e as pessoas o chamam de Deus/Deusa.

Quando todos vocês atingirem a mestria, sua raça como um todo (porque sua raça é um todo) se moverá facilmente através do tempo e do espaço (vocês terão dominado as leis da física como as compreendem) e vocês tentarão ajudar aqueles que são de outras raças e civilizações a também atingirem a mestria.

Como aqueles de outras raças e civilizações estão fazendo conosco agora?

Sim. Exatamente.

E somente quando todas as raças do Universo tiverem atingido a mestria...

...ou como Eu diria, somente quando a Totalidade de Mim conhecer a Unicidade...

...essa parte do ciclo terminará.

Você disse isso muito bem. Porque o ciclo em si nunca *termina.*

Porque o final dessa parte do ciclo é o próprio ciclo!

Bravo! Magnífico*!*
Você entendeu!
Então sim, há vida em outros planetas. E sim, grande parte dela é mais avançada do que vocês.

Em que sentido? O Senhor nunca respondeu de fato a essa pergunta.

Sim, respondi. Em todos os sentidos. Tecnologicamente. Politicamente. Socialmente. Espiritualmente. Fisicamente. E psicologicamente.

Sim, mas me dê alguns exemplos. Essas afirmações são tão amplas que não fazem sentido para mim.

Sabe de uma coisa? Eu adoro a sua verdade. Não é qualquer um que olharia Deus nos olhos e afirmaria que o que Ele está dizendo não faz sentido.

Não? Então o que o Senhor vai fazer a esse respeito?

Você teve a atitude certa. Porque, é claro, está certo. Pode Me desafiar, enfrentar-Me e Me questionar o quanto quiser, porque Eu não farei coisa alguma.

Contudo, posso fazer uma coisa abençoada, como o que estou fazendo aqui, com este diálogo. Ele não é abençoado?

Sim, é. E ajudará muitas pessoas. Milhões estão sendo afetadas por ele.

Eu sei disso. É tudo parte do "plano do mestre". O plano para vocês se tornarem mestres.

O Senhor sabia desde o início que esta trilogia seria um grande sucesso, não é?

É claro que sabia. Quem acha que a tornou um sucesso? Quem imagina que fez as pessoas a lerem?

Eu lhe digo que sei quem são todas as pessoas que lerão esta trilogia, e seus motivos para isso.

E elas também sabem.

A única pergunta é, elas Me negarão?

O Senhor se importa com isso?

Nem um pouco. Todos os Meus filhos voltarão um dia para Mim. Isso não é uma questão de se, mas de quando*. E, portanto, pode importar para elas. Então, deixe que aqueles que têm ouvidos ouçam.*

Sim, bem... estávamos falando sobre a vida em outros planetas, e o Senhor ia me dar alguns exemplos do quanto é muito mais avançada do que a vida na Terra.

Tecnologicamente, a maioria das outras civilizações está muito à frente de vocês.

Em que sentido? *Dê-Me um exemplo.*

Está bem. O tempo. Vocês não parecem poder controlá-lo. (Na verdade, nem mesmo podem prevê-lo com exatidão!) Por isso, estão sujeitos a seus caprichos. A maioria dos mundos não está. Os seres da maioria dos planetas podem, por exemplo, controlar a temperatura local.

Podem? Eu achei que a temperatura de um planeta fosse um produto de sua distância do seu Sol, sua atmosfera etc.

Essas coisas estabelecem os parâmetros. Dentro desses parâmetros muito pode ser feito.

Como assim? De que modo?

Controlando o meio ambiente. Criando, ou deixando de criar, certas condições na atmosfera.

Veja bem, isso não é só uma questão de onde você está em relação a um Sol, mas também do que coloca entre *você e esse Sol.*

Vocês colocaram coisas muito perigosas em sua atmosfera — e tiraram dela as mais importantes. Entretanto, ainda negam isso. Isto é, a maioria de vocês não admite. Até mesmo quando suas mentes superiores provam sem deixar margem para dúvidas o dano que estão causando, vocês não admitem isso. Dizem que essas mentes estão loucas, e que vocês sabem das coisas.

Ou dizem que esses sábios só desejam validar seus pontos de vista e proteger seus interesses. E, no entanto, são vocês que desejam validar seus pontos de vista e proteger seus interesses.

E seu maior interesse é por si mesmos. Todas as evidências, não importa o quanto sejam científicas e claras, serão negadas se forem contra seus interesses pessoais.

Essa é uma afirmação um tanto dura, e não estou certo de que é verdadeira.

Não? Está chamando Deus de mentiroso?

Bem, eu não diria exatamente isso...

Você sabe quanto tempo suas nações demoraram para simplesmente parar de envenenar a atmosfera com fluorocarbonetos?

Sim... bem...

Bem, nada! Por que acha que demorou tanto tempo? Não importa. Eu lhe direi. Porque parar com o envenenamento custaria a suas maiores empresas muito dinheiro. Porque não convinha a muitas pessoas.

Demorou tanto tempo porque durante anos muitas pessoas e nações escolheram negar — precisaram negar *— a evidência para proteger seu interesse no* status quo*; em manter as coisas como estavam.*

Somente quando as taxas de câncer de pele alcançaram níveis alarmantes, as temperaturas começaram a subir, as geleiras começaram a derreter, os oceanos ficaram mais quentes e os lagos e rios começaram a transbordar, um número maior de vocês começou a prestar atenção nisso.

Somente quando seu interesse pessoal *o exigiu, vocês viram a verdade que suas mentes superiores tinham colocado diante dos seus olhos durante anos.*

O que há de errado com o interesse pessoal? Pensei que o Senhor tinha dito no Livro I que o interesse pessoal era o ponto de partida.

Eu disse, e é. Contudo, em culturas e sociedades de outros planetas, a definição de "interesse pessoal" é muito mais ampla do que a do seu mundo. Está muito claro para as criaturas iluminadas que aquilo que prejudica um prejudica muitos, e que aquilo que beneficia poucos deve *beneficiar muitos, ou, em última análise, não beneficiará ninguém.*

Em seu planeta ocorre exatamente o oposto. Aquilo que prejudica um é ignorado por muitos, e aquilo que beneficia poucos é negado a muitos.

Isso ocorre porque sua definição de interesse pessoal é muito limitada, mal abrangendo seus entes queridos e, mesmo assim, somente quando estes conquistam sua simpatia.

Sim, Eu disse no Livro I para, em todos os relacionamentos, fazerem o que é do interesse do Eu. Mas também disse que quando você souber qual é o seu maior interesse, saberá que também é do maior interesse da outra pessoa — porque você e ela são Um Só.

Você e todas as outras pessoas são Um Só — e esse é um nível de conhecimento que vocês não atingiram.

Você está me perguntando sobre tecnologia avançada, e Eu lhe digo que não pode usar a tecnologia avançada de nenhum modo benéfico se não tiver um pensamento avançado.

Tecnologia avançada sem pensamento avançado não cria avanço, mas destruição.

Vocês já experimentaram isso em seu planeta e estão muito perto de experimentá-lo de novo.

O que o Senhor quer dizer? Do que está falando?

Eu estou dizendo que, em seu planeta, vocês já atingiram o topo — na verdade foram mais longe — para o qual estão agora lentamente subindo. Tinham uma civilização na Terra mais avançada do que a que existe agora. E ela se destruiu.

Não só se destruiu, como quase destruiu tudo o mais.

Fez isso porque não sabia como lidar com a tecnologia que havia desenvolvido. Sua evolução tecnológica estava tão além da sua evolução espiritual que acabou transformando a tecnologia em seu Deus. As pessoas adoravam a tecnologia, e tudo o que ela podia criar e trazer. E então tiveram tudo que sua tecnologia não controlada trouxe — que foi o desastre que não pôde ser controlado.

Essa civilização literalmente fez seu mundo chegar ao fim.

Tudo isso aconteceu aqui, na Terra?

Sim.

Está falando da Cidade Perdida de Atlântida?

Alguns de vocês lhe dão esse nome.

E Lemúria? A terra de Mu?

Isso também é parte da sua mitologia.

Então *é* verdade! Nós já chegamos a esse lugar antes!

Ah, fomos além dele, Meu filho. Muito além.

E nós *realmente* nos destruímos!

Por que você está surpreso? Estão fazendo a mesma coisa agora.

Eu sei que estamos. O Senhor nos dirá como podemos parar de fazer isso?

Há muitos livros sobre esse tema. A maioria das pessoas os ignora.

Dê-nos um título, e eu Lhe prometo que não o ignoraremos.

Leiam The Last Hours of Ancient Sunlight.

De um homem chamado Thom Hartmann. Sim! Eu adoro esse livro!

Ótimo. Esse mensageiro está inspirado. Chame a atenção do mundo para esse livro.

Vou fazer isso.

O livro diz tudo que Eu diria aqui, em resposta à sua última pergunta. Não há necessidade de Eu reescrevê-lo através de você.

O livro contém um resumo de muitos modos pelos quais seu planeta está sendo prejudicado e maneiras de impedir sua destruição.

Até agora, o que a raça humana tem feito neste planeta não tem sido muito inteligente. De fato, durante todo este diálogo, o Senhor descreveu nossa espécie como "primitiva". Desde que fez pela primeira vez esse comentário eu me pergunto como deve ser viver em uma cultura *não* primitiva. O Senhor diz que há muitas sociedades ou culturas assim no Universo.

Sim.

Quantas?

Muitas.

Dezenas? Centenas?

Milhares.

Milhares? Há *milhares* de civilizações avançadas?

Sim. E há outras culturas mais primitivas do que a sua.

O que mais caracteriza uma sociedade como "primitiva" ou "avançada"?

O grau em que coloca em prática seus conhecimentos mais elevados.

Isso é diferente do que você imagina. Você imagina que uma sociedade deveria ser chamada de primitiva ou avançada baseada em seus conhecimentos. Mas de que adiantam os mais altos conhecimentos se você não os coloca em prática?

A resposta é: de nada. De fato, esses conhecimentos se tornam perigosos.

É uma característica da sociedade primitiva chamar retrocesso de progresso. Sua sociedade andou para trás, não para a frente. Grande parte do seu mundo demonstrava mais compaixão há 70 anos do que demonstra agora.

Algumas pessoas não vão gostar de ouvir isso. O Senhor diz que não julga, mas algumas pessoas podem se sentir julgadas aqui.

Nós já falamos sobre isso. Se você diz que quer ir para Seattle e está dirigindo para San Jose, a pessoa para quem pergunta como chegar em Seattle está sendo julgadora se lhe disser que está seguindo um rumo que não o levará onde diz que quer ir?

Chamar-nos de "primitivos" não é apenas nos mostrar o rumo certo. A palavra *primitivo* é pejorativa.

É mesmo? E no entanto vocês dizem que admiram tanto a arte "primitiva"! E freqüentemente apreciam músicas por suas qualidades "primitivas" — para não falar em certas mulheres.

O Senhor está fazendo um jogo de palavras para mudar as coisas.

De forma alguma. Só estou lhe mostrando que "primitivo" não é necessariamente pejorativo. É seu julgamento que o torna isso. "Primitivo" é meramente descritivo. Simplesmente diz o que é verdade: que algo está em um estágio muito inicial de desenvolvimento. Não diz mais do que isso. Não diz nada sobre "certo" ou "errado". Vocês é que acrescentam esses significados.

Eu não "os tornei errados" aqui. Só descrevi sua cultura como primitiva. Isso só lhe "parece" errado se você tem um julgamento sobre ser primitivo.

Eu não tenho um julgamento desse tipo.

Compreenda que uma avaliação não é um julgamento. Só é uma observação Do Que É.

Quero que vocês saibam que Eu os amo. E não os julgo. Olho para vocês e só vejo beleza.

Como ocorre com a arte primitiva.

Exatamente. Ouço sua melodia e só sinto emoção.

Como ocorre com a música primitiva.

Agora você está entendendo. Eu sinto a energia da sua raça como vocês sentiriam a energia de um homem ou uma mulher de "sensualidade primitiva". E, como vocês, fico excitado.

Agora esta *é a verdade sobre vocês e Eu. Vocês não Me desagradam, não Me perturbam e nem mesmo Me desapontam.*

Vocês Me excitam*!*

Eu fico excitado com novas possibilidades, novas experiências ainda por vir. Em vocês Eu descubro novas aventuras, e a excitação de atingir novos níveis de magnificência.

Longe de Me desapontarem, vocês, emocionam-Me*! Fico* emocionado *com o milagre que vocês representam. Vocês acham que atingiram o auge do desenvolvimento humano, e Eu lhes digo* que estão apenas começando. *Apenas* começaram *a experimentar seu esplendor!*

Suas idéias mais grandiosas ainda não foram expressadas, e sua melhor visão de si mesmos ainda não foi vivida.

Mas esperem! Olhem! Observem! Os dias de seu desabrochar estão próximos. A haste se tornou forte e logo as pétalas se abrirão. E Eu lhe digo que a beleza e fragrância de seu desabrochar encherão a Terra, e vocês ainda terão seu lugar no Jardim dos Deuses.

Capítulo 12

É *isso* que eu quero ouvir! Foi *isso* que vim aqui experimentar! *Inspiração,* não degradação.

Você nunca é degradado, a menos que pense que é. Nunca é julgado, ou "considerado errado" por Deus.

Muitas pessoas não "entendem" essa idéia de um Deus que diz: "O certo e o errado não existem", e que proclama que nunca seremos julgados.

Então se decidam! Primeiro vocês dizem que Eu os julgo, depois ficam perturbados porque Eu não *os julgo.*

Eu sei, eu sei. Isso é muito confuso. Todos nós somos muito... complexos. Ao mesmo tempo queremos e não queremos os Seus julgamentos. Não queremos Suas punições, mas nos sentimos perdidos sem elas. E quando O Senhor diz, como disse nos outros dois livros, "Eu nunca os punirei", não conseguimos acreditar — e alguns de nós quase ficam malucos com isso. Já que o Senhor não nos julgará e punirá, o que nos manterá na linha? E se não há "justiça" no céu, quem acabará com a injustiça na terra?

Por que vocês estão contando com o céu para corrigir o que chamam de "injustiça"? A chuva não cai do céu?

Sim.

E Eu lhe digo que a chuva cai igualmente sobre os justos e injustos.

E quanto a "'A vingança é Minha', disse o Senhor"?

Eu nunca disse semelhante coisa. Alguém inventou isso, e o resto de vocês acreditou.

"Justiça" não é algo que você experimenta depois *que age de uma determinada maneira, mas* porque *age de uma determinada maneira. Justiça é um* ato, *não uma punição* por *um ato.*

Eu vejo que o problema com a nossa sociedade é que buscamos "justiça" depois que uma "injustiça" ocorreu, em vez de em primeiro lugar "ser justos".

Acertou na mosca!

Justiça é uma ação, não uma reação.

Portanto, não esperem que Eu de alguma forma "no fim conserte tudo", impondo alguma forma de justiça celestial na "vida após a morte". Eu lhe digo que não há "vida após a morte", mas apenas *vida. A morte não existe. E o modo como vocês experimentam e criam suas vidas, como indivíduos e uma sociedade, é sua demonstração do que acham que é justo.*

E no que diz respeito a isso o Senhor não considera a raça humana muito desenvolvida, não é? Quero dizer, se toda a evolução fosse colocada em um campo de futebol americano, onde estaríamos?

Na 12ª jarda.

Está brincando!

Não.

Estamos na 12ª jarda da evolução?

Vocês passaram da 6ª para a 12ª jarda no século passado.

Há alguma chance de fazermos um *touchdown*?

É claro que sim. Se não se atrapalharem com a bola de novo.

De novo?

Como Eu já disse, não é a primeira vez que sua civilização chegou a esse ponto. Quero repetir isso, porque é vital *que vocês o ouçam.*

Em seu planeta, a tecnologia que vocês desenvolveram já foi muito maior que sua capacidade de usá-la de forma responsável. Vocês estão novamente chegando ao mesmo ponto na história humana.

É vital que compreendam isso.

Sua tecnologia atual está ameaçando superar sua capacidade de usá-la com sabedoria. Sua sociedade está prestes a se tornar um produto da sua tecnologia, em vez de sua tecnologia ser um produto da sua sociedade.

Quando uma sociedade se torna um produto da sua própria tecnologia, destrói-se.

Por que isso acontece? Pode me explicar como?

Sim. A questão crucial é o equilíbrio entre a tecnologia e a cosmologia — a cosmologia de toda vida.

O que o Senhor quer dizer com "a cosmologia de toda vida"?

Explicada de um modo simples, é o modo como as coisas funcionam. O Sistema. O Processo.

Você sabe como é, há "ordem no caos".

Eu esperava que houvesse.

E a ironia é que quando vocês entendem essa ordem, começam a entender cada vez mais como o Universo funciona, correm um risco maior de colapso. Assim, a ignorância pode ser uma felicidade.

O próprio Universo é uma tecnologia. É a maior *tecnologia. Funciona perfeitamente. Sozinho. Mas quando você começa a mexer com os princípios e as leis universais, corre o risco de ir contra essas leis. E o resultado é um pênalti na 40ª jarda.*

Um revés para o time da casa.

Sim.

Então estamos fora da nossa Liga aqui?

Quase. Só vocês podem determinar se estão ou não fora da Liga. Determinarão isso com suas ações. Por exemplo, sabem o suficiente sobre energia atômica para se explodir.

Sim, mas não vamos nos explodir. Somos espertos. Vamos nos segurar.

Realmente? Vocês continuam a produzir armas de destruição em massa que logo cairão nas mãos de alguém que tornará o mundo refém delas — ou o destruirá ao tentar fazer isso.

Dão a seus filhos fósforos e esperam que eles não incendeiem a casa, quando vocês mesmos ainda não aprenderam a usá-los. Por isso, joguem seus fósforos fora.

Mas é demais esperar que uma sociedade primitiva se desarme. Assim sendo, o desarmamento nuclear — nossa única solução duradoura — parece fora de questão.

Nós nem mesmo concordamos em interromper os testes nucleares. Somos uma raça de seres extremamente incapazes de se controlar.

E se vocês não se matarem com sua loucura nuclear, destruirão o mundo com seu suicídio ambiental. Estão destruindo o ecossistema de seu planeta e continuam a dizer que não estão fazendo isso.

E como se não bastasse, estão interferindo na bioquímica de toda a vida. Clonando e praticando a engenharia genética sem o cuidado suficiente para torná-la benéfica para sua espécie, mas correndo o risco de torná-la o maior desastre de todos os tempos. Se não tomarem cuidado, farão as ameaças nucleares e ambientais parecerem brincadeira de criança.

Produzindo remédios para fazer o trabalho que seus corpos deveriam fazer, criaram vírus tão resistentes que podem acabar com toda a sua espécie.

O Senhor está me deixando um pouco assustado. Então está tudo perdido? O jogo terminou?

Não, mas está em sua fase decisiva. É hora de dar o máximo de si e o zagueiro está procurando jogadores desimpedidos para passar a bola.

Você está desimpedido? Pode receber a bola?

Eu sou o zagueiro e a última vez que olhei estávamos usando a mesma camisa. Ainda jogamos no mesmo time?

Eu pensei que só houvesse um time! Quem está no *outro* time?

Todos os pensamentos que ignoram nossa Unicidade, todas as idéias que nos separam, todos os atos que anunciam que não estamos unidos. O "outro time" não é real, contudo é uma parte da sua realidade, porque vocês o tornaram isso.

Se não tomarem cuidado, sua própria tecnologia — que foi criada para servi-los — os matará.

Posso até ouvir algumas pessoas dizendo: "Mas o que uma pessoa sozinha pode fazer?"

Pode começar parando com essa coisa de "o que uma pessoa sozinha pode fazer?".

Eu já disse que há centenas de livros sobre esse tema. Parem de ignorá-los. *Leiam esses livros. Ajam de acordo com o que dizem. Façam com que outras pessoas os leiam. Comecem uma revolução. Tornem-na uma revolução evolutiva.*

Não é isso que está acontecendo há muito tempo?

Sim e não. É claro que processo evolutivo sempre ocorreu. Mas agora está tomando um novo rumo. Agora vocês se tornaram conscientes *de que estão evoluindo. E não só de que estão evoluindo, mas de* como. *Agora conhecem o* processo através do qual a evolução ocorre — *e* sua realidade é criada.

Antes, eram apenas observadores de como sua espécie estava evoluindo. Agora são participantes conscientes.

Hoje, mais pessoas do que nunca têm consciência do poder da mente, de sua interligação com todas as coisas e sua verdadeira identidade como seres espirituais.

Mais pessoas do que nunca estão seguindo princípios que produzem resultados específicos e experiências desejadas.

Essa é realmente uma revolução evolutiva, porque agora, cada vez mais, vocês estão criando conscientemente *a qualidade de sua experiência, a expressão direta de Quem Realmente São, e a rápida manifestação de Quem Escolhem Ser.*

É isso que torna esse período tão crítico. Pela primeira vez em sua história atual registrada (embora não pela primeira vez na experiência humana) vocês têm a tecnologia e o conhecimento de como usá-la para destruir todo o seu mundo. Podem realmente se extinguir.

É exatamente isso que é dito em *Conscious Evolution,* de Barbara Marx Hubbard.

Sim.

Esse livro é impressionante, com visões maravilhosas de como podemos evitar os terríveis resultados obtidos por civilizações anteriores e realmente criar o paraíso na Terra. O Senhor provavelmente a inspirou!

Eu acho que Barbara poderia dizer que Eu lhe dei uma mãozinha...

O Senhor já disse que inspirou centenas de escritores — muitos mensageiros. Há outros livros que deveríamos ler?

Livros demais para serem descritos aqui. Por que você não faz sua própria pesquisa? Depois faça uma lista daqueles de que gostou mais e passe-a para outras pessoas.

Desde o início dos tempos Eu falo através de autores, poetas e dramaturgos. Durante muito tempo coloquei a Minha verdade em letras de músicas, rostos de pinturas, formas de esculturas e no batimento de todos os corações humanos. E continuarei a fazer isso.

Cada pessoa adquire sabedoria a seu próprio modo. Seguindo o caminho que conhece melhor. Cada mensageiro de Deus tira verdade dos momentos mais simples, e a partilha com igual simplicidade.

Você é um desses mensageiros. Agora vá e diga a seu povo para se unir em sua maior verdade. Partilhar sua sabedoria. Experimentar juntos seu amor. Porque seu povo pode *existir em paz e harmonia.*

Então sua sociedade também será evoluída, assim como aquelas sobre as quais falamos.

Então, a principal diferença entre nossa sociedade e as sociedades mais evoluídas, em outras partes do Universo, é essa nossa idéia de separação.

Sim. O primeiro princípio orientador da civilização avançada é a união. O reconhecimento da Unicidade e santidade de toda vida. E, por esse motivo, o que descobrimos em todas as sociedades evoluídas é que em nenhuma circunstância um ser tiraria intencionalmente a vida de outro da sua espécie contra sua vontade.

Em nenhuma circunstância?

Nenhuma.

Nem se estivesse sendo atacado?

Em nenhuma circunstância isso aconteceria nessa sociedade ou espécie.

Talvez não nessa espécie, mas e se o ataque partisse de outra espécie?

Se uma espécie muito evoluída fosse atacada por outra, isso demonstraria que o atacante era menos evoluído. De fato, seria um ser primitivo. Porque nenhum ser evoluído atacaria outro.

Eu entendo.

O único motivo pelo qual uma espécie atacada mataria outra seria o ser atacado se esquecer de Quem Realmente É.

Se o ser achar que é seu corpo físico — sua forma *física — pode matar seu atacante, por temer o "fim da sua própria vida".*

Se, por outro lado, o ser entender muito bem que não *é seu corpo, nunca porá fim à existência física de outro — porque nunca terá um motivo para isso. Simplesmente deitará seu corpo físico e passará a ter a experiência do seu eu não-físico.*

Como Obi-Wan Kenobi!*

Sim, exatamente. Os escritores do que vocês chamam de "ficção científica" freqüentemente os levam na direção da maior verdade.

Temos de parar aqui. Isso parece totalmente em desacordo com o que foi dito no Livro I.

O que foi?

No Livro I foi dito que quando alguém está abusando de você, não se deve deixar o abuso continuar. Que quando você agir com amor, deve incluir *a si mesmo* entre aqueles que ama. E o livro pareceu dizer para fazermos todo o possível para pararmos de ser alvos de ataque. Até mesmo disse que a *guerra* era válida como uma reação ao ataque — que, e esta é uma citação, "... os déspotas não devem fazer o que bem entendem, é preciso pôr fim ao seu despotismo".

Também diz que "escolher ser como Deus não significa escolher ser um mártir. E certamente não significa escolher ser uma vítima".

Agora o Senhor está dizendo que um ser muito evoluído *nunca* poria fim à existência física de outro. Como essas afirmações podem não ser contraditórias?

Leia novamente o que está escrito no Livro I. Leia com atenção.

Todas as Minhas respostas foram e devem ser consideradas dentro do contexto que você criou.

Nele, você admite que não está operando em um nível de mestria. Diz que as palavras e os atos das outras pessoas às vezes o ma-

* Do filme *Star Wars*. (N. da R.)

goam. Então desejou saber como reagir melhor a essas experiências de mágoa.

Todas as minhas respostas devem ser consideradas dentro desse contexto.

Em primeiro lugar, Eu disse que chegará o dia em que não *ficará mais magoado. Como Obi-Wan Kenobi, você não se sentirá prejudicado, nem mesmo quando alguém estiver* "matando-o".

Esse é o nível de mestria que foi atingido pelos membros das sociedades que estou descrevendo agora. Esses seres sabem muito bem Quem São e Quem Não São. É muito difícil fazer um deles se sentir "prejudicado" ou "magoado", mesmo se seus corpos *físicos corressem perigo. Eles simplesmente* sairiam *de seus corpos e os deixariam para vocês, se sentissem tanta necessidade de feri-los.*

A outra coisa que Eu disse no Livro I é que você reage dessa forma às palavras e aos atos das outras pessoas porque se esqueceu de Quem É. Mas, como Eu digo lá, isso não faz mal. É parte do processo de crescimento. Da evolução.

Então Eu faço uma afirmação muito importante. Durante todo o seu processo de crescimento "deve trabalhar no nível em que se encontra. O nível da compreensão, boa vontade e lembrança".

Eu até mesmo disse: "Eu presumirei pelos objetivos desta discussão que você ainda está... tentando tornar 'real' Quem Realmente É."

Dentro do contexto de uma sociedade de seres que não se lembram de Quem Realmente São, as respostas que Eu lhe dei no Livro I continuam as mesmas. Mas você não Me fez aquelas perguntas aqui. Você Me pediu para descrever as sociedades muito evoluídas do Universo.

Não só com relação a esse tema, mas também a todos os outros que abordaremos aqui, será bom não considerar essas descrições de outras culturas críticas à sua própria cultura.

Não há julgamentos aqui. E também não haverá condenação se vocês fizerem as coisas de modo diferente — reagir de modo diferente — dos seres mais evoluídos.

E, portanto, o que Eu disse é que os seres muito evoluídos do Universo nunca "matariam" outro ser sensível em um momento de raiva. Em primeiro lugar, não experimentariam *raiva. Em segundo, não poriam fim à existência física de outro ser sem a sua permissão. Em terceiro — para responder especificamente à sua pergunta — nunca se sentiriam "atacados", nem mesmo por seres de outra sociedade ou espécie, porque para se sentir "atacado" você tem de achar que alguém está lhe tirando algo — sua vida, seus entes queridos, sua liberdade, sua propriedade ou seus bens — al-*guma coisa. *E um ser evoluído nunca experimentaria isso, porque simplesmente lhe* daria *o que achasse que você estava precisando a ponto de estar disposto a tirá-lo pela força — mesmo se custasse ao ser evoluído sua vida física — porque ele sabe que pode* criar tudo de novo. *Daria-o naturalmente ao ser menos evoluído que não soubesse disso.*

Por conseguinte, o ser muito evoluído não é um mártir, e tampouco uma vítima do "despotismo" de ninguém.

Vai além disso. Não só sabe que pode criar tudo de novo, como também que não tem de criá-lo. *Sabe que não precisa de nada disso para ser feliz ou sobreviver. Compreende que não precisa de nada exterior a si mesmo, e que "quem é" não tem nada a ver com o plano físico.*

Os seres menos evoluídos nem sempre sabem disso.

Finalmente, o ser muito evoluído entende que é Um Só com quem o ataca. Vê seu atacante como uma parte ferida do seu Eu. Nessa circunstância sua função é curar todas as feridas, para que a Totalidade possa se conhecer de novo como realmente é.

Para o ser muito evoluído, dar tudo isso seria como dar a si mesmo uma aspirina.

Nossa! Que conceito! Que discernimento! Mas eu preciso voltar a algo que o Senhor disse antes. O Senhor disse que os seres muito evoluídos...

Vamos chamá-los de "SMEs". O nome é muito comprido para ser repetido tantas vezes.

Está bem. O Senhor disse que os "SMEs" nunca poriam fim à existência física de outro ser sem a sua permissão.

Sim.

Mas por que um ser daria a outro permissão para pôr fim à sua existência física?

Poderia haver vários motivos para isso. Por exemplo, o ser poderia se oferecer como alimento. Ou servir a um outro fim — como acabar com uma guerra.

Deve ser por esse motivo que, mesmo em nossas próprias culturas, há aqueles que não matam nenhum animal para comer ou usar sua pele sem pedir permissão ao espírito desse ser.

Sim. É o que fazem os índios americanos. Eles não pegam nem mesmo uma flor ou erva sem pedir a seus espíritos permissão para isso. Todas as suas culturas indígenas fazem o mesmo. Curiosamente, essas são as tribos e culturas que vocês *chamam de "primitivas".*

O Senhor está me dizendo que eu não posso pegar nem um rabanete sem pedir permissão?

Você pode fazer o que quiser. Mas Me perguntou o que os "SMEs" fariam.

Então os índios americanos são seres muito evoluídos?

Como ocorre com todas as raças e espécies, alguns são e outros não. Isso é uma coisa individual. Contudo, como uma cultura, eles atingiram um nível muito elevado. Os mitos culturais que inspiram grande parte das suas experiências são muito elevados. Mas vocês os forçaram a misturar os mitos culturais deles com os seus.

Espere um minuto! O que o Senhor está *dizendo*? Os Vermelhos eram uns selvagens! Foi por esse motivo que tivemos de matar milhares deles e colocar o resto em prisões que chamamos de reservas! Até mesmo agora construímos campos de golfe em seus lugares sagrados. *Temos* de agir assim. Caso contrário eles poderiam *honrar* esses lugares, *lembrar-se* de suas histórias culturais e *realizar* seus ritos sagrados, e não podemos deixar que façam isso.

Eu estou entendendo.

Não, acho que não está. Se nós não tivéssemos chegado e tentado erradicar sua cultura, eles poderiam ter erradicado a *nossa*! Então como teríamos terminado?

Estaríamos respeitando a terra e o ar, recusando-nos a envenenar nossos rios, e o que seria da nossa indústria?

Provavelmente toda a população ainda andaria nua, *sem vergonha,* tomando banhos de rio e vivendo da terra, em vez de se amontoar em arranha-céus, condomínios e bangalôs e ir trabalhar na selva de pedra.

Ainda estaríamos ouvindo os ensinamentos da sabedoria antiga ao redor de uma fogueira, em vez de ver TV! Não teríamos feito *nenhum progresso.*

Bem, felizmente sabem o que é bom para vocês.

Capítulo 13

Fale-me mais sobre as civilizações e os seres muito evoluídos. Fora o fato de eles não se matarem por nenhum motivo, o que mais os torna diferentes de nós?

Eles partilham.

Ei, *nós* também partilhamos!

Não, eles partilham tudo. *Com* todos. *Os recursos naturais de seu mundo e meio ambiente são igualmente divididos e distribuídos para todos.*

Uma nação, um grupo ou uma cultura não acha que "possui" um recurso natural simplesmente porque ocupa o espaço físico em que esse recurso se encontra.

O planeta (ou grupo de planetas) que uma espécie chama de "lar" é considerado de todos — todas as espécies desse sistema. De fato, o próprio *planeta ou grupo de planetas é considerado um "sistema". É visto como todo um sistema, não um conjunto de pequenas partes ou elementos que podem ser eliminados ou erradicados sem prejudicar o sistema.*

O *ecossistema,* como o chamamos.

Bem, é mais do que isso. Não é apenas a ecologia — que é a relação dos recursos naturais do planeta com seus habitantes. Também é a relação dos habitantes *consigo mesmos, uns com os outros e com o meio ambiente.*

É a correlação entre todas as espécies de vida.

O "especiessistema"!

Sim! Gostei dessa palavra! Porque estamos falando de algo maior do que o ecossistema. É realmente o "especiessistema". Ou o que Buckminster Fuller chamou de noosfera.

Eu gosto mais de "especiessistema". É mais fácil de compreender. Sempre me perguntei o que era *noosfera*!

"Bucky" também gosta da sua palavra. Ele é flexível. Sempre gostou de tudo que tornava as coisas mais simples ou fáceis.

O Senhor está falando de Buckminster Fuller? Agora transformou este diálogo em uma sessão espírita?

Digamos apenas que Eu tenho motivos para saber que a essência que se identificou como Buckminster Fuller adorou sua nova palavra.

Ótimo! Quero dizer, é tão legal saber disso...

É mesmo.

Então, nas sociedades muito evoluídas, é o "especiessistema" que importa.

Sim, mas isso não quer dizer que os seres individuais não *importam. Pelo contrário. Eles* realmente *importam, e isso se reflete no fato de que o efeito no "especiessistema" é maior quando toda decisão é considerada.*

Sabe-se que o "especiessistema" sustenta toda vida e todo ser, *no nível ótimo. Portanto, não fazer nada que possa prejudicar o "especiessistema" é uma* afirmação de que todos os seres individuais são importantes.

Não só os seres individuais com status, *influência ou dinheiro. Não só os mais poderosos ou supostamente mais conscientes de si mesmos.* Todos *os seres, e todas as espécies no sistema.*

Como isso pode funcionar? Como pode ser possível? Em nosso planeta as necessidades de algumas espécies *têm* de ser subordinadas às de outras, ou não poderíamos experimentar a vida como a conhecemos.

Vocês estão chegando perigosamente perto do tempo em que não *poderão experimentar "a vida como a conhecem", exatamente* porque *insistem em subordinar as necessidades da maioria das espécies às de apenas uma.*

A espécie humana.

Sim — e nem mesmo a todos os membros *dessa espécie, mas apenas a alguns. Nem mesmo ao maior número (o que poderia ter alguma lógica), mas ao* menor.

Os ricos e mais poderosos.

Foi você quem disse.

Aqui vamos nós! Outro sermão contra os ricos e poderosos.

De modo algum. Sua civilização não merece um sermão; não mais do que uma sala cheia de crianças pequenas merece. Os seres humanos farão o que estão fazendo — a si mesmos e uns aos outros — até perceberem que isso não é mais do seu interesse. Nenhum sermão mudará esse fato.

Se os sermões mudassem as coisas, suas religiões teriam se revelado muito mais eficientes.

Nossa! O Senhor não está livrando a cara de ninguém hoje, não é?

Não é nada disso. Essas simples observações o atingem? Então veja por quê. Nós sabemos que a verdade freqüentemente incomoda. Contudo, este livro veio trazer a verdade. Como outros livros que Eu inspirei. E filmes. E programas de televisão.

Eu não sei se quero incentivar as pessoas a ver televisão.

Seja como for, a televisão é o centro da sua sociedade. Não é o veículo *que os está levando em direções que dizem que não querem ir, são as mensagens que permitem que sejam colocadas nele. Não critiquem o veículo. Um dia podem querer colocar nele uma mensagem diferente...*

Deixe-me voltar um pouco atrás... posso voltar à minha pergunta original? Ainda estou querendo saber como um "especiessistema" pode funcionar com as necessidades de todas as espécies no sistema igualmente satisfeitas.

Todas as necessidades são igualmente satisfeitas, mas essas necessidades não são todas iguais. Isso é uma questão de proporção e equilíbrio.

Os seres muito evoluídos compreendem muito bem que todos os seres vivos, dentro do que escolhemos chamar de "especiessistema", têm necessidades que precisam ser satisfeitas para as formas físicas que criam e sustentam o sistema sobreviverem. Também compreendem que nem todas as necessidades são as mesmas, ou iguais, em termos do que exigem do próprio sistema.

Vamos tomar como exemplo seu próprio "especiessistema".

Está bem...

Vamos usar as duas espécies vivas que vocês chamam de "árvores" e "humanos".

Obviamente, as árvores não exigem tanta "manutenção" diária quanto os humanos. Por isso, suas necessidades não são iguais. Contudo, estão correlacionadas. Isto é, uma espécie depende da outra. Você deve prestar tanta atenção às necessidades das árvores quanto às dos seres humanos, mas as necessidades em si não são tão grandes. Entretanto, se você ignorar as necessidades de uma espécie, estará correndo riscos.

O livro que Eu mencionei antes como sendo muito importante — The Last Hours of Ancient Sunlight *— descreve tudo isso magnificamente. Diz que as árvores tiram dióxido de carbono de sua atmosfera, usando a parte de carbono desse gás atmosférico para produzir* carboidratos *— isto é, para* crescer.

(Quase tudo de que uma planta é feita, inclusive raízes, caule, folhas — até mesmo as nozes e frutos — é composto de carboidratos.)

Enquanto isso, a parte de oxigênio desse gás é liberada pela árvore. É o "lixo" da árvore.

Por outro lado, os seres humanos precisam de oxigênio para sobreviver. Sem árvores para transformar o dióxido de carbono, que existe em abundância em nossa atmosfera, em oxigênio — o que não *é —* vocês, *como uma espécie, não podem sobreviver.*

Está vendo o equilíbrio?

É claro. Isso é fantástico!

Obrigado. Agora por favor parem de destruí-lo.

Ora, vamos! Nós plantamos duas árvores para cada uma que cortamos.

Sim, e as árvores que plantam levarão 300 anos para crescer e ter força suficiente para produzir tanto oxigênio quanto as árvores antigas que estão cortando.

A fábrica de oxigênio que vocês chamam de Floresta Amazônica pode ser substituída em sua capacidade de equilibrar a atmosfera do seu planeta em, digamos, dois ou três mil anos. Não se preocupem. Vocês estão desmatando milhares de acres todos os anos, mas não se preocupem.

Por quê? Por que estamos fazendo isso?

Para poderem criar gado para matar e comer. Dizem que criar gado dá mais lucro para os povos da floresta tropical — que tudo isso é para tornar a terra produtiva.

Contudo, nas sociedades muito evoluídas, destruir o "especiessistema" não é considerado produtivo, *mas* destrutivo. *Então os SMEs encontraram um modo de equilibrar as necessidades* totais *do "es-*

peciessistema". Preferem equilibrá-las a satisfazer os desejos de uma pequena parte do sistema, porque sabem que nenhuma espécie dentro *do sistema pode sobreviver se o* próprio sistema for destruído.

Isso parece óbvio. Dolorosamente óbvio.

Pode ser ainda mais doloroso para a Terra nos próximos anos se sua assim chamada espécie dominante não acordar.

Eu entendo. O problema é sério. E quero fazer alguma coisa a esse respeito. Mas às vezes me sinto impotente. O que tenho de fazer para promover a mudança?

Não há nada que tem de fazer, mas há muito que pode ser.

Explique-me melhor.

Há muito tempo os seres humanos tentam, sem muito sucesso, resolver os problemas no nível do "fazer", porque a verdadeira mudança sempre é feita no nível do "ser", não do "fazer".

É verdade que vocês fizeram certas descobertas e desenvolveram sua tecnologia e, portanto, de alguns modos, tornaram suas vidas mais fáceis — mas não está claro se as tornaram melhores. *E nas questões mais amplas dos princípios, fizeram progressos muito lentos. Estão enfrentando muitos dos mesmos problemas de princípios que enfrentaram durante séculos em seu planeta.*

Sua idéia de que a Terra existe para a exploração da espécie dominante é um bom exemplo disso.

Está claro que vocês não mudarão o que estão fazendo *enquanto não mudarem o modo como estão* sendo.

Vocês têm de mudar suas idéias a respeito de quem são *em relação ao seu meio ambiente e tudo que existe nele para* agirem *de modo diferente.*

Tudo é uma questão de consciência. E vocês têm de elevar a consciência para poder mudá-la.

Como podemos elevar a consciência?

Parem de se calar a respeito disso. Falem abertamente. Debatam as questões. Vocês poderiam até mesmo elevar um pouco a consciência coletiva.

Por exemplo, a respeito de apenas uma coisa. Por que não plantam cânhamo e o usam para fazer papel? Têm idéia de quantas árvores é preciso apenas para fornecer a seu mundo os jornais diários? Para não falar em copos e toalhas de papel e caixas de papelão?

O cânhamo pode ser plantado a um custo baixo, colhido com facilidade e usado não só para fazer papel como também cordas fortes e roupas duradouras, e até mesmo alguns dos remédios mais eficazes que seu planeta pode fornecer. De fato, o cânhamo pode ser plantado a um custo tão *baixo, colhido com* tanta *facilidade, e tem* tantos *usos maravilhosos, que há um forte* lobby *operando contra ele.*

Muitos perderiam demais *para permitir ao mundo voltar-se para essa planta simples que pode ser cultivada em quase todos os lugares.*

Esse é apenas um exemplo de como a ganância substitui o bom senso na condução dos assuntos humanos.

Então dêem este livro a todos que conhecem. Não só para entenderem isso, *mas para entenderem* tudo *que o livro tem a dizer. E ainda há* muito mais.

Sim, mas eu estou começando a me sentir deprimido, como muitas pessoas disseram que se sentiram deprimidas depois de lerem o Livro II. Isso vai se resumir a mais conversas sobre como estamos destruindo as coisas aqui, e realmente acabando com o planeta? Porque não sei se estou pronto para ouvir...

Está pronto para ser inspirado? Para se sentir empolgado? Porque descobrir o que outras civilizações — civilizações avançadas — estão fazendo deveria tanto inspirá-lo como empolgá-lo!

Pense em todas as possibilidades! Nas oportunidades! No belo futuro que os espera!

Se *acordarmos.*

Vocês acordarão! Estão *acordando! O paradigma* está *mudando. O mundo* está *mudando bem diante dos seus olhos.*

Este livro é parte disso. Vocês *são parte disso. Lembrem-se de que estão no espaço para purificá-lo. Não há outro motivo para estarem aqui.*

Não desistam! Não desistam! A maior aventura apenas começou!

Está bem. Eu escolho ser inspirado pelo exemplo e pela sabedoria dos seres muito evoluídos, não ser desencorajado por ela.

Ótimo. Essa é uma escolha sábia, dado onde dizem que querem ir como uma espécie. Há muitas coisas das quais pode se lembrar observando esses seres.

Os SMEs vivem em união, e com uma consciência profunda de correlação. Seus comportamentos são criados por seus Pensamentos Responsáveis — o que você poderia chamar de os princípios orientadores básicos de sua *sociedade.*

Quais são os princípios orientadores básicos de uma sociedade de SMEs?

O Primeiro Princípio Orientador é: Somos Todos Um Só.

Toda decisão e escolha, tudo que você chamaria de "moralidade" e "ética" se baseia nesse princípio.

O Segundo Princípio Orientador é: Tudo Que É Um Só Está Correlacionado.

De acordo com esse princípio, nenhum membro de uma espécie deixaria de dar algo para outro simplesmente porque "o obteve primeiro", "pertence-lhe", ou "tem pouco". A dependência mútua de todos os seres vivos no "especiessistema" é reconhecida e honrada. As necessidades relativas de cada espécie de organismo vivo dentro do sistema sempre são mantidas em equilíbrio — porque sempre são tidas em mente.

Esse Segundo Princípio Orientador significa que não há propriedade privada?

Não como você a compreende.

Um SME experimenta a "propriedade privada" como uma responsabilidade pessoal *por tudo de bom sob sua guarda. A palavra mais adequada em sua linguagem para descrever o que um SME sente em relação ao que você chamaria de um "bem apreciado" é* administração. *Um SME é um* administrador, *não um* proprietário.

A palavra "possuir" e o conceito por trás dela não são parte da cultura dos SMEs. Não existe "posse" no sentido de algo ser um "bem pessoal". Os SMEs não possuem, prezam. *Isto é, amam as coisas e tomam conta delas, mas não as possuem.*

Os seres humanos possuem, os SMEs prezam. Em sua linguagem, é assim que a diferença poderia ser descrita.

Anteriormente, em sua história, os seres humanos achavam que tinham o direito de possuir tudo em que punham as mãos. *Isso incluía as mulheres e os filhos, a terra e suas riquezas. "Todas as coisas", e tudo o que essas "coisas" pudessem lhes proporcionar, eram deles. Grande parte dessa crença ainda é mantida hoje pela sociedade humana.*

Os seres humanos se tornaram obcecados por esse conceito de "propriedade". Os SMEs que observavam isso de longe o chamaram de "obsessão por possuir".

Agora, enquanto vocês evoluem, compreendem cada vez mais que de fato não podem possuir coisa alguma — muito menos suas mulheres e filhos. Todavia, muitos ainda se apegam à idéia de que podem possuir terra, e tudo que está nela, sob e sobre ela. (Sim, até mesmo falam sobre "direitos ao espaço aéreo"*!)*

Ao contrário de vocês, os SMEs do Universo compreendem muito bem que o planeta físico debaixo de seus pés não é algo que pode ser possuído por apenas um deles — embora um SME possa receber, através dos mecanismos de sua sociedade, uma parte de terra para cuidar. Se for um bom administrador da terra, pode ter permissão (ou pode lhe ser pedido) para passar essa administração para seu filho, que poderá passá-la para o seu, e assim por diante. No entanto, se ele ou seu filho provar ser um mau administrador da terra, esta não será mais mantida sob seus cuidados.

Puxa vida! Se esse fosse o princípio orientador aqui, metade das indústrias do mundo teriam de abrir mão de suas propriedades!

E o ecossistema do planeta melhoraria muito da noite para o dia.

Veja bem, em uma cultura muito evoluída, uma "corporação", como vocês a chamam, nunca poderia saquear a terra para obter lucro, porque estaria claro que a qualidade de vida de seus próprios funcionários seria irremediavelmente prejudicada. Que lucro há nisso?

Bem, os prejuízos poderiam não ser notados durante muitos anos, enquanto os benefícios são notados imediatamente. Então isso seria chamado de Lucro a Curto Prazo/Perda a Longo Prazo. Mas quem se importa com a Perda a Longo Prazo se não vai estar mais lá para experimentá-la?

Os SMEs. Mas eles vivem muito mais.

Quanto mais?

Muitas vezes mais. Em algumas sociedades, os seres vivem para sempre — ou enquanto escolherem permanecer em forma física. Por isso, nas sociedades de SMEs, os seres individuais geralmente experimentam as conseqüências a longo prazo de seus atos.

Como conseguem viver tanto tempo?

É claro que nunca estão não *vivos, não mais do que vocês estão, mas sei o que quer dizer. Quer dizer "com seus corpos".*

Sim. Como conseguem ficar com seus corpos durante tanto tempo? Como isso é possível?

Bem, primeiro porque *eles não poluem seu ar, sua água e sua terra. Por exemplo, não colocam no solo produtos químicos que depois são absorvidos por plantas e animais e levados para o corpo através do consumo dessas plantas e desses animais.*

De fato, um SME nunca consumiria um animal, muito menos encheria o solo e as plantas que o animal *come de produtos químicos, o* próprio *animal de produtos químicos, e* depois *o consumiria. Consideraria essa prática suicida.*

Portanto, os SMEs não poluem seu meio ambiente, sua atmosfera e seus próprios corpos como os seres humanos fazem. Os corpos humanos são criações magníficas, feitos para "durar" infinitamente mais do que vocês lhes permitem.

Os SMEs também têm comportamentos psicológicos diferentes que prolongam a vida.

Como por exemplo?

Um SME nunca se preocupa — e nem mesmo compreenderia o conceito humano de "preocupação" ou "estresse". Também não "odeia", sente "raiva", "ciúme" ou pânico. Dessa forma, não produz reações bioquímicas em seu corpo que o destroem. Um SME chamaria isso de "consumir-se" e ele não se consumiria, assim como não consumiria o corpo de outro ser.

Como um SME consegue isso? Os seres humanos são capazes de ter tanto controle sobre as emoções?

Em primeiro lugar, um SME compreende que todas as coisas são perfeitas, que há um processo no Universo que está sendo realizado e que tudo que têm de fazer é não interferir nele. Por isso, um SME nunca se preocupa, porque compreende o processo.

E, para responder à sua segunda pergunta, sim, os seres humanos têm esse controle, embora alguns não acreditem que o têm, e outros simplesmente não escolham exercê-lo. Os poucos que se esforçam para isso vivem um pouco mais — presumindo que os produtos químicos e gases tóxicos presentes na atmosfera não os matem, e também que não tenham se envenenado voluntariamente de outros modos.

Espere um minuto. Como "nos envenenamos voluntariamente"?

Alguns de vocês fazem isso.

Como?

Como Eu já disse, comem venenos. Alguns de vocês bebem venenos. Outros até mesmo fumam venenos.

Um SME acha esses comportamentos incompreensíveis. Não pode imaginar por que vocês colocariam deliberadamente em seus corpos substâncias que sabem que não podem lhes fazer bem.

Nós achamos *agradável* comer, beber e fumar certas coisas.

Um SME acha a vida física *agradável, e não pode se imaginar fazendo algo que* sabe *que poderia limitá-la, torná-la dolorosa ou pôr fim a ela.*

Alguns de nós não acreditam que comer muita carne vermelha, consumir bebidas alcoólicas ou fumar ervas *irá* limitá-la, torná-la dolorosa ou pôr fim a ela.

Então sua capacidade de observação é muito pequena. Precisam desenvolvê-la. Um SME sugeriria que simplesmente olhassem ao seu redor.

Sim, bem... o que mais o Senhor pode me dizer sobre como é a vida nas sociedades muito evoluídas do Universo?

Não existe vergonha.

Não?

E tampouco culpa.

Então como um ser se revela um mau "administrador" da terra? O Senhor acabou de dizer que tiram a terra dele! Isso não significa que foi julgado e considerado culpado?

Não. Significa que foi observado e considerado incapaz.

Nas culturas muito evoluídas, nunca seria pedido aos seres para fazer algo que demonstraram ser incapazes de fazer.

Mesmo se ainda assim eles *desejassem* fazê-lo?

Eles não iriam "desejar".

Por que não?

Sua própria demonstração de incapacidade acabaria com esse desejo. Isso é um resultado natural de sua compreensão de que sua incapacidade de fazer uma determinada coisa poderia prejudicar outro ser. Eles nunca o prejudicariam, porque prejudicar o Outro é prejudicar o Eu, e eles sabem disso.

Então ainda é o "instinto de conservação" que determina a experiência! Como ocorre na Terra!

É claro que sim! A única coisa que é diferente é a definição deles do "Eu". *O ser humano define o Eu de um modo muito limitado. Você fala do* seu *Eu, da* sua *família, da* sua *comunidade. O SME define o Eu de outro modo. Fala* do *Eu,* da *família,* da *comunidade.*

Como se só houvesse uma.

Só há uma. *Esse é o ponto principal.*

Eu compreendo.

E por isso, em uma cultura muito evoluída, um ser nunca iria, por exemplo, insistir em criar filhos se lhe tivesse sido constantemente demonstrada sua incapacidade de fazer isso.

É por esse motivo que, nas culturas muito evoluídas, crianças não criam outras crianças. Sua criação é deixada a cargo dos idosos. Isso não significa que os filhos são arrancados dos braços daqueles que lhe deram vida e entregues a estranhos. Não é nada disso.

Nessas culturas, os idosos vivem perto dos mais novos. Não são expulsos para viverem sozinhos, ignorados e entregues à própria sorte. São honrados, reverenciados como parte de uma sociedade amorosa, dedicada e ativa.

Quando nasce um novo ser, os idosos estão lá, bem dentro do seio dessa comunidade e família, e o fato de criá-lo é tão organicamente correto como é em sua sociedade os pais fazerem isso.

A diferença é que, embora os filhos sempre saibam quem são seus "pais" — o termo mais exato em sua linguagem seria "geradores de vida" — não lhes é pedido que aprendam as coisas básicas da vida com seres que ainda as estão aprendendo.

Nas sociedades de SMEs os idosos organizam e supervisionam o processo de aprendizagem, além de acolher, alimentar e cuidar das crianças. Os filhos são criados em um ambiente de sabedoria e amor, muita paciência e compreensão.

Os jovens que lhes deram vida em geral estão fora, em algum lugar, enfrentando os desafios e experimentando as alegrias de suas próprias vidas. Podem passar o tempo que quiserem com seus filhos, até mesmo viver na Morada dos Idosos com eles, estar em sua compa-

nhia em um ambiente "doméstico", e ser experimentados pelos filhos como parte desse ambiente.

É tudo uma experiência muito unificada e integrada. Mas são os idosos que assumem a responsabilidade de criá-los, o que é uma honra para eles, porque se tornam responsáveis pelo futuro de toda a espécie. E nas sociedades de SMEs, é reconhecido que isso é mais do que deveria ser exigido dos jovens.

Eu já toquei nesse assunto, quando falei sobre o modo como vocês criam os filhos em seu planeta e como deveriam mudá-lo.

Sim. E obrigado por explicar melhor, e como funciona. Então, voltando um pouco atrás, um SME não sente culpa ou vergonha, não importa o que faça?

Não. Porque a culpa e a vergonha são coisas impostas ao ser. Sem dúvida podem ser internalizadas, mas inicialmente são impostas. Sempre. *O ser divino (e todos os seres são divinos) só se sente "envergonhado" ou "culpado" do que está fazendo quando outro ser o faz se sentir assim.*

Em sua cultura, um bebê tem vergonha "do que faz no banheiro"? É claro que não. Até vocês lhe dizerem *que deve ter. Uma criança se sente "culpada" por se satisfazer com seus órgãos genitais? É claro que não. Até vocês lhe* dizerem *que deve se sentir.*

O grau em que uma cultura é evoluída é demonstrado pelo grau em que rotula um ser ou um ato como "vergonhoso" ou "culpado".

Nenhum ato deveria ser considerado vergonhoso? Uma pessoa *nunca* é culpada, não importa o que faça?

Como Eu já lhe disse, o certo e o errado não existem.

Há algumas pessoas que ainda não compreendem isso.

Para compreender o que está sendo dito aqui, este diálogo deve ser lido em sua totalidade. *Tirar uma afirmação do seu contexto poderia torná-la incompreensível. O Livro I e o Livro II contêm explicações detalhadas do que foi dito acima. Você está Me pedindo aqui para descrever as culturas muito evoluídas do Universo. Elas já compreendem isso.*

Está bem. De que outros modos essas culturas diferem da nossa?

De muitos outros modos. Eles não competem.

Sabem que quando um perde, todos perdem. Por isso, não criam esportes e jogos que ensinam as crianças (e perpetuam nos adultos) a idéia de que alguém "ganhar" enquanto alguém "perde" é diversão.

Além do mais, como Eu disse, eles partilham tudo. Quando alguém precisa de algo, eles não sonham em guardar ou esconder o que têm simplesmente porque têm pouco. Pelo contrário, esse seria seu próprio motivo para partilhá-lo.

Os SMEs também enriquecem partilhando coisas raras. A única coisa em que diferem dos humanos é em sua definição de "enriquecimento". Um SME se sente "enriquecido" partilhando tudo generosamente, sem precisar de "lucro". De fato, essa sensação é o lucro.

Há vários princípios orientadores da cultura humana que produzem seus comportamentos. Como Eu já disse, um dos mais básicos é o da Sobrevivência dos Mais Fortes.

Isso poderia ser chamado de seu Segundo Princípio Orientador. Está na base de tudo que sua sociedade criou. Sua economia. Sua política. Suas religiões. Sua educação. Suas estruturas sociais.

Contudo, para um SME, o próprio princípio é um oxímoro. Contradiz-se. Como o Primeiro Princípio Orientador de um SME é Somos

Todos Um Só, o "ser individual" não é "forte" enquanto a "Totalidade" não é. Por isso, a sobrevivência dos "mais fortes" é impossível — ou a única *coisa que é possível (portanto, uma contradição) — já que os "mais fortes" não são "fortes" enquanto a "Totalidade" não é forte.*

Está entendendo isso?

Sim. Nós o chamamos de comunismo.

Em seu planeta vocês têm rejeitado todos os sistemas que não permitem o progresso de um ser à custa de outro.

Se um sistema de governo ou uma economia exige uma tentativa de distribuição eqüitativa para "todos", dos benefícios criados *por "todos", com os recursos que* pertencem *a "todos", vocês dizem que o sistema de governo vai contra a ordem natural. Contudo, nas sociedades muito evoluídas, a ordem natural É a* partilha eqüitativa.

Mesmo se alguém ou um grupo não fez nada para merecê-la? Mesmo se não houve qualquer contribuição para o bem comum? Mesmo se eles forem maus?

O bem comum é a vida. *Se você está vivo, está contribuindo para o bem comum. É muito difícil para um espírito estar em forma física. Concordar em assumir essa forma é, em certo sentido, um grande sacrifício — mas um sacrifício que é necessário, e até mesmo apreciado, se for para a Totalidade se conhecer experimentalmente e se recriar na versão mais grandiosa da melhor visão que já teve de Quem É.*

É importante compreender por que nós viemos para cá.

Nós?

As almas que formam o coletivo.

O Senhor está me confundindo.

Como Eu já expliquei, só existe Uma Alma, Um Ser, Uma Essência. Alguns de vocês chamam isso de "Deus". Essa Única Essência "individualiza-Se" como Tudo no Universo — em outras palavras, Tudo Que Existe. Isso inclui todos os seres sensíveis, ou o que vocês escolheram chamar de almas.

Então "Deus" é toda alma que existe?

Toda alma que existe agora, sempre existiu e sempre existirá.

Então Deus é um "coletivo"?

Essa é a palavra que Eu escolhi, porque é a que descreve melhor em sua linguagem como as coisas são.

Não é um único ser impressionante, mas um coletivo?

Não tem de ser uma coisa ou outra. Abra a sua mente!

Deus é *as duas coisas*? Um único Ser Impressionante que é um coletivo de partes individualizadas?

Bom! Muito bom!

E por que o coletivo veio para a Terra?

Para expressar-se fisicamente. Conhecer-se em sua própria experiência. Ser Deus. Como Eu já expliquei detalhadamente no Livro I.

O Senhor nos criou para sermos Deus?

Nós criamos, sim. Foi exatamente *para isso que foram criados.*

E todos os seres humanos foram criados por um coletivo?

Sua própria Bíblia dizia: "Vamos *criar o homem à* Nossa imagem e semelhança", *antes da tradução ser mudada.*

A vida é o processo através do qual Deus Se cria e depois experimenta a criação. Esse processo de criação é contínuo e eterno. Acontece o "tempo" todo. As esferas do relativo e físico são as ferramentas com as quais Deus trabalha. A pura energia (que vocês chamam de espírito) é O Que Deus É. Essa Essência é realmente o Espírito Santo.

Através de um processo pelo qual a energia se torna matéria, o espírito encarna. Esse processo é realizado com a energia literalmente se desacelerando — mudando sua oscilação, ou o que vocês chamariam de vibração.

A Totalidade faz isso em partes. Isto é, partes do todo encarnam. Essas individualizações do espírito são o que vocês escolheram chamar de almas.

Na verdade, só existe Uma Alma se reformando. Isso poderia ser chamado de A Reforma. Vocês são deuses Em Formação. (Informação *de Deus!)*

Essa *é a sua contribuição, e por si só é suficiente.*

Explicando isso de um modo simples, assumindo forma física vocês já fizeram o bastante. *Eu não preciso de mais nada. Vocês* contribuíram *para o bem comum. Tornaram possível para o que é comum — o Único Elemento Comum — experimentar o que é bom. Vocês até mesmo escreveram que Deus criou o céu e a terra, os animais que caminham na terra, os pássaros do ar e os peixes do mar, e* isso foi muito bom.

O "bom" não pode existir experimentalmente sem seu oposto. Por isso vocês também criaram o ruim, que é o movimento para trás, ou a direção oposta, do bom. É o oposto da vida — e assim criaram o que chamam de morte.

Contudo, a morte não existe na realidade máxima. É apenas uma invenção, uma experiência imaginada através da qual vocês valorizam mais a vida. Portanto, o "ruim" é o oposto da vida!

Quando vocês compreenderem toda essa cosmologia, compreenderão a grande verdade. Então, nunca poderão exigir que outro ser lhes dê algo em troca de seu ato de partilhar os recursos e as necessidades da vida física.

Não importa o quanto isso possa parecer bonito, ainda há pessoas que o chamariam de comunismo.

Se quiserem chamá-lo assim, que chamem. Porém, Eu lhe digo que enquanto sua comunidade de seres não souber o que é viver em comunidade, nunca experimentará a Comunhão Sagrada, e não saberá Quem Eu Sou.

Os seres muito evoluídos do Universo compreendem muito bem tudo que Eu expliquei aqui. Em suas culturas seria impossível não partilhar. Ou "cobrar preços" cada vez mais exorbitantes de acordo com a dificuldade em satisfazer uma necessidade. Somente os seres muito primitivos fariam isso. Veriam a escassez do que é comumente necessário como uma oportunidade de lucrar mais. "A oferta e a demanda" não movem o sistema dos SMEs.

Isso é parte de um sistema que os humanos afirmam contribuir para sua qualidade de vida e para o bem comum. No entanto, do ponto de vista de um ser muito evoluído, o sistema dos humanos se opõe *ao bem comum, porque não permite que* bem *seja experimentado* em comum.

Outra característica diferente e fascinante das culturas muito evoluídas é que nelas não existe uma palavra, um som ou nenhum outro modo de transmitir o significado dos conceitos de "seu" e "meu". Os pronomes possessivos não existem em sua linguagem e, se um deles fosse falar em uma língua terrena, só poderia usar artigos para descrever coisas. "Meu carro" se tornaria "o carro com que eu estou agora". "Meu cônjuge" ou "meus filhos" se tornariam "o cônjuge" ou "os filhos" com que eu estou agora.

A expressão "com que eu estou agora" ou "em cuja presença eu estou agora" é a mais exata que sua linguagem pode usar para descrever o que você chamaria de "propriedade" ou "posse".

Aquilo em cuja presença você está se torna a Dádiva. É o verdadeiro "presente" da vida.

Desse modo, na linguagem dos seres muito evoluídos, não se poderia nem mesmo falar em termos de "minha vida", mas apenas em termos "da vida em cuja presença eu estou agora".

Isso é parecido com vocês dizerem que estão "na presença de Deus".

Quando vocês estão na presença de Deus (o que estão, sempre que estão na presença uns dos outros), nunca pensariam em privá-Lo do que é Dele — isto é, de qualquer parte Daquilo Que É. Partilhariam natural e igualmente aquilo que é Dele com todas as partes *do que é Deus.*

Essa é a compreensão espiritual em que se baseiam as estruturas sociais, políticas, econômicas e religiosas de todas as culturas muito evoluídas. É a cosmologia de toda vida, e é apenas a incapacidade de observá-la, compreendê-la e viver de acordo com ela que cria todo o conflito da sua experiência na Terra.

Capítulo 14

Como são os seres dos outros planetas, fisicamente?

Vá com calma. Há tantas variedades de seres quanto há de espécies de vida em seu planeta.

Na verdade, mais.

Há seres muito parecidos conosco?

É claro que sim, alguns são como vocês — com pequenas diferenças.

Como eles vivem? O que comem? Como se vestem? De que modo se comunicam? Eu quero aprender tudo sobre os extraterrestres. Fale-me sobre eles!

Eu entendo sua curiosidade, mas estes livros não lhe foram enviados para satisfazê-la. O objetivo de nossa conversa é transmitir uma mensagem para seu mundo.

Eu só quero fazer algumas perguntas. Não é apenas por curiosidade. Podemos ter algo a aprender aqui. Ou, mais exatamente, a relembrar.

Isso é realmente mais exato. Porque vocês não têm nada a aprender, mas apenas de relembrar Quem Realmente São.

O Senhor deixou isso maravilhosamente claro no Livro I. Esses seres dos outros planetas se lembram de Quem São?

Como você poderia esperar, todos os seres de outros planetas estão em vários estágios de evolução. Mas no que chamou aqui de culturas muito evoluídas, sim, eles se lembram.

Como os extraterrestres vivem? Trabalham? Viajam? Comunicam-se?

As viagens, como vocês as conhecem em sua cultura, não existem nas sociedades muito evoluídas. A tecnologia superou a necessidade de usar combustíveis antiquados para fazer funcionar motores colocados em máquinas enormes que transportam seres.

Além disso, os SMEs têm uma maior compreensão dos processos mentais e da própria natureza do plano físico.

Devido à combinação desses dois tipos de avanços evolutivos, os SMEs podem desmontar e tornar a montar seus corpos quando querem, o que permite à maioria deles "estar" onde *escolher — quando escolher.*

Inclusive a anos-luz através do Universo?

Sim. Na maioria dos casos sim. Essas viagens "de longa distância" pelas galáxias são realizadas como uma pedra ricocheteia sobre a água. Não é feita nenhuma tentativa de atravessar *A Matriz que é o Universo, mas de "ricochetear" sobre ela. Essa é a melhor imagem que pode ser encontrada em sua linguagem para explicar isso.*

Quanto ao que em sua sociedade vocês chamam de "trabalho" — esse conceito não existe na maioria das culturas de SMEs. As tarefas e atividades são realizadas baseadas apenas no que um ser gosta de fazer e considera a expressão mais elevada de Si Mesmo.

É ótimo alguém poder fazer isso, mas como o "trabalho pesado" é feito?

O conceito de "trabalho pesado" não existe. O que vocês rotulariam como "pesado" em sua sociedade é extremamente honrado pelos seres muito evoluídos. Os SMEs que realizam as tarefas diárias que "devem" ser realizadas para uma sociedade existir e funcionar são os "trabalhadores" mais valorizados e recompensados por servirem à Totalidade. Eu coloquei a palavra "trabalhadores" entre aspas porque para um SME isso não é "trabalho", mas a forma mais elevada de satisfação pessoal.

As idéias e experiências que os seres humanos criaram ao redor da expressão de si mesmos — que vocês chamaram de trabalho — simplesmente não são parte da cultura dos SMEs. O "trabalho pesado", as "horas extras", a "pressão" e experiências parecidas criadas pelo Eu não são escolhidas pelos seres muito evoluídos que, entre outras coisas, não tentam "chegar ao topo" ou "ser bem-sucedidos".

O próprio conceito de "sucesso", como vocês o definiram, é desconhecido pelos SMEs, precisamente porque seu oposto — o fracasso *— não existe.*

Então como os SMEs têm a experiência da realização ou conquista?

Não através da criação de um sistema de valores elaborado em torno da "competição", "vitória" e "derrota", como é o caso na maioria das sociedades e atividades humanas — mesmo (e especialmente) em suas escolas — mas, em vez disso, através de um reconhecimento e uma compreensão profunda do que realmente tem valor em uma sociedade.

A conquista é definida como o "ato de fazer o que resulta em valor", não como "fazer o que resulta em 'fama' e 'riqueza', tenha isso valor ou não".

Então os SMEs *realmente* têm um "sistema de valor"!

Ah, sim! É claro que sim. Mas um sistema muito diferente do da maioria dos seres humanos. Os SMEs valorizam o que traz benefícios para Todos.

Nós também!

Sim, mas vocês definem "benefício" de outro modo. Vêem mais benefício em atirar uma pequena bola branca para um homem com uma raquete, ou tirar as roupas em uma grande tela de cinema, do que em fazer seus filhos se lembrarem das maiores verdades da vida, ou dar apoio espiritual a uma sociedade. Então honram mais — e remuneram melhor — jogadores e astros de cinema do que mestres e pastores. Nisso andam para trás, dado onde dizem que querem ir como uma sociedade.

Vocês ainda não desenvolveram uma grande capacidade de observação. Os SMEs sempre vêem "o que é", e fazem "o que funciona". Com muita freqüência, os seres humanos não agem dessa maneira.

Os SMEs não honram aqueles que ensinam ou prestam auxílio porque isso é "moralmente certo", mas porque é "o que funciona", *dado onde escolhem que sua sociedade vá.*

Ainda assim, onde há uma estrutura de valor, deve haver "aqueles que têm" e "aqueles que não têm". Então, nas sociedades de SMEs, são os mestres que são ricos e famosos, e os jogadores que são pobres.

Não *há "aqueles que não têm" nessas sociedades. Ninguém vive na miséria em que vocês permitiram que muitos seres humanos caíssem. Ninguém morre de fome, como ocorre com 400 crianças por hora, e 30 mil pessoas por dia, em seu planeta. E não existe uma vida de "mudo desespero", como há nas culturas de trabalho humanas.*

Não. Nas sociedades de SMEs não há "pobres".

Como eles evitaram isso? *Como*?

Aplicando dois princípios básicos.

Somos todos Um Só.

Há o suficiente.

Os SMEs têm uma consciência da abastança que a cria. Através de sua consciência da correlação de todas as coisas, nenhum recurso natural de seu planeta é desperdiçado ou destruído. Isso deixa o bastante para todos — portanto, "há o suficiente".

A consciência humana da insuficiência é a principal causa de todas as preocupações, pressões e competições, e de toda a raiva e inveja, todos os conflitos e, em última análise, todos os assassinatos na Terra.

Isso, junto com a insistência humana em acreditar na separação, em vez de na união de todas as coisas, criou 90% do sofrimento em suas vidas, da tristeza em sua história e da inutilidade de seus esforços anteriores para tornar as coisas melhores para todos.

Se vocês mudassem esses dois elementos de sua consciência, tudo mudaria.

Como? Eu quero mudá-los, mas não sei *como*. Dê-me uma ferramenta, não apenas clichês.

Está bem. Isso é justo. Então aqui está uma ferramenta.

"Aja como se."

Aja como se vocês todos fossem *Um Só. Comece agindo assim amanhã. Veja a todos como "você", passando por um momento difícil, esperando por uma chance, apenas tendo uma experiência diferente.*

Tente fazer isso amanhã. Veja a todos com novos olhos.

Depois, comece a agir como se "houvesse o suficiente". Se você tivesse dinheiro, amor e tempo "suficientes", o que mudaria no seu modo de agir? Partilharia mais generosa e eqüitativamente?

Isso é interessante, porque é exatamente o que estamos fazendo com nossos recursos naturais, o que tem nos tornado alvo de críticas de ecologistas. Quero dizer, estamos agindo como se "houvesse o suficiente".

O que é realmente interessante é que vocês agem como se as coisas que acham que os beneficiam *fossem* insuficientes, *e por esse motivo ficam muito atentos às suas reservas — freqüentemente até mesmo escondendo-as. Contudo, agem levianamente quando se trata do seu meio ambiente, dos recursos naturais e da ecologia. Então deve-se presumir que vocês não acham que o meio ambiente, os recursos naturais e a ecologia os beneficiam.*

Ou que estamos "agindo como se" *houvesse o suficiente.*

Mas vocês não estão. Se estivessem, partilhariam esses recursos mais eqüitativamente. Contudo, hoje, um quinto da população mundial usa quatro quintos dos recursos mundiais. E vocês não dão sinais de que irão mudar essa equação.

Há *o suficiente para todos se vocês pararem de desperdiçá-lo irrefletidamente com poucos. Se todas as pessoas usassem os recursos sabiamente, vocês os desperdiçariam menos com umas poucas usando-os de modo insensato.*

Usem *os recursos, mas não* abusem *deles.*

É isso que todos os ecologistas estão dizendo.

Bem, eu estou deprimido de novo. O Senhor faz com que eu me sinta deprimido.

Você é engraçado, sabia disso? Está dirigindo sozinho por uma estrada, perdido e esquecido de onde diz que quer ir. Alguém aparece e lhe indica a direção. *Então você fica extasiado, certo? Errado. Fica deprimido.*

É surpreendente.

Fico deprimido porque *não nos vejo seguindo essa direção.* Não nos vejo nem mesmo querendo seguir. Eu nos vejo indo direto de encontro a um muro, e *sim,* isso me deprime.

Você não está usando seus poderes de observação. Eu vejo centenas de milhares de pessoas se alegrando ao lerem isto. Milhões reconhecendo as verdades simples escritas aqui. E vejo uma nova força para mudar aumentando de intensidade em seu planeta. Sistemas de pensamento inteiros estão sendo descartados. Estilos de governo estão sendo abandonados. Políticas econômicas estão sendo revistas. Verdades espirituais estão sendo reexaminadas.

Sua raça está despertando.

As observações contidas nestas páginas precisam ser uma fonte de encorajamento. Reconhecê-las como verdadeiras *pode ser muito encorajador se você deixar que este seja* o combustível que move a máquina da mudança.

Você *é um agente de mudança. Pode* fazer a diferença *no modo como os seres humanos criam e experimentam suas vidas.*

Como?

Seja *a diferença.* Seja *a mudança.* Personifique *a consciência de que "Somos Todos Um Só" e "Há o Suficiente".*

Mude seu Eu, mude o mundo.

Você deu a seu Eu este livro, e todo o material contido nos livros Conversando com Deus, *para poder relembrar de como era viver como um ser muito evoluído.*

Nós já vivemos assim antes, não é? O Senhor já disse isso.

Sim. No que vocês chamariam de Antigüidade e civilizações antigas. A maior parte do que Eu descrevi aqui já foi experimentada por sua raça.

Agora uma parte de mim quer ficar ainda *mais* deprimida! O Senhor quer dizer que chegamos lá e depois perdemos tudo? Qual é o objetivo de "ficarmos andando em círculos" como estamos fazendo?

A evolução! A evolução não é uma linha reta.

Agora vocês têm uma chance de recriar as melhores experiências de suas civilizações antigas, e de evitar as piores. Não têm de deixar seus egos e sua tecnologia avançada destruir sua sociedade de novo. Podem fazer as coisas de modo diferente. Você — você — *pode* fazer uma diferença.

Se você se permitisse agir assim, poderia achar isso muito estimulante.

Está bem. Eu entendi. E quando eu me permito pensar nisso dessa forma, *fico* muito estimulado! E *farei* uma diferença! Diga-me mais! Quero me lembrar o máximo que puder de como vivíamos nessas civilizações antigas mais avançadas, e de como vivem hoje todos os seres muito evoluídos. Como eles vivem?

Vivem em grupos, ou o que seu mundo chamaria de comunidades, porque a maioria abandonou sua versão do que vocês chamariam de "cidades" ou "nações".

Por quê?

Porque as "cidades" se tornaram grandes demais e não serviam mais ao objetivo de viverem em grupo, mas iam contra ele. Produziam "indivíduos amontoados" em vez de uma comunidade agrupada.

Ocorre o mesmo neste planeta! Há um sentido maior de "comunidade" em nossas cidades pequenas e vilas — até mesmo em nossas áreas rurais abertas — do que na maioria das nossas cidades grandes.

Sim. No que diz respeito a esse assunto, só há uma diferença entre seu mundo e os outros planetas que estamos agora discutindo.

Qual é?

Os habitantes dos outros planetas aprenderam isso. Observaram melhor "o que funciona".

Por outro lado, nós criamos cidades cada vez maiores, apesar do fato de observarmos que elas pioram a nossa qualidade de vida.

Sim.

Nós até mesmo *nos orgulhamos* de nossa posição! Uma área metropolitana sobe do 12º lugar para o 10º lugar em nossa lista das cidades maiores e todos acham que isso é motivo de comemoração! As câmaras de comércio até *fazem alarde* desse fato!

É típico da sociedade primitiva ver o retrocesso como progresso.

O Senhor já disse essas palavras. Está me deprimindo de novo!

Um número cada vez maior de vocês não está mais fazendo isso. Está recriando pequenas comunidades "planejadas".

Então o Senhor acha que deveríamos abandonar nossas megacidades e voltar para nossas cidades pequenas e vilas?

Eu não tenho uma preferência a esse respeito. Só estou fazendo uma observação.

Como sempre. Então, qual é a Sua observação no que diz respeito ao motivo pelo qual continuamos a migrar para cidades cada vez maiores, apesar de vermos que isso não é bom para nós?

Muitos de vocês não vêem *o que é bom para si mesmos. Acham que amontoar-se em cidades grandes* resolve *os problemas, quando apenas os cria.*

É verdade que nas cidades grandes há serviços, empregos e divertimentos que não são, e não podem ser, encontrados em cidades pequenas e vilas. Mas seu erro é dar valor a essas coisas, quando na verdade são prejudiciais.

Aha! Então o Senhor *tem* uma opinião a esse respeito! O Senhor se traiu! Disse que cometemos um "erro".

Se vocês estivessem indo para San Jose ...

Lá vamos nós novamente...

Bem, já que você insiste em chamar observações de "julgamentos" e afirmações de fatos de "preferências", e Eu sei que está buscando mais exatidão em suas comunicações e percepções, vou sempre chamar a sua atenção para isso.

Se você estiver indo para San Jose, embora o tempo todo dizendo que quer ir para Seattle, é errado aquele a quem você perguntou a direção a seguir dizer que "cometeu um erro"? Quem lhe deu a informação está mostrando uma "preferência"?

Acho que não.

Acha que não?

Está bem. Não está.

Então o que está *fazendo?*

Só está dizendo "o que é assim", dado onde digo que quero ir.

Excelente. Você entendeu.

Mas o Senhor já disse isso antes. Muitas vezes. Por que eu continuo com a idéia de que o Senhor tem preferências e faz julgamentos?

Porque esse é o Deus criado por sua mitologia, e você Me incluirá nessa categoria sempre que puder. Além disso, se Eu realmente *tivesse preferências, isso tornaria tudo mais fácil para você. Não teria de descobrir as coisas e tirar suas* próprias *conclusões. Só teria de fazer o que* Eu digo.

É claro que você não teria como saber o que é *que Eu digo, já que acha que Eu não digo nada há milhares de anos, por isso não tem outra escolha além de acreditar naqueles que afirmam estar dizendo o que Eu* costumava *dizer quando de fato me comunicava com vocês. Mas até mesmo isso é um problema, porque há tantos mestres e ensinamentos diferentes quanto há cabelos em sua cabeça. Então você volta ao ponto de partida, tendo de tirar suas* próprias *conclusões.*

Há um modo de sair desse labirinto — e do ciclo de sofrimento que ele criou para a raça humana? Algum dia "faremos as coisas direito"?

Há uma "saída", e vocês "farão as coisas direito". Só têm de desenvolver sua capacidade de observação. *Seria melhor ver o que lhes serve. Isso é chamado de "evolução". De fato, não podem "não fazer as coisas direito". Não podem falhar. Isso é meramente uma questão de quando, não de se.*

Mas não estamos ficando sem tempo neste planeta?

Ah, se esse for *o seu parâmetro — se quiserem "fazer as coisas direito"* nesse *planeta, isto é, enquanto* esse planeta em particular ainda os sustentar, *dentro* desse *contexto — então é melhor se apressarem.*

Como podemos nos apressar? Ajude-nos!

Eu os estou ajudando. Qual você acha que é o objetivo deste diálogo?

Está bem, então nos ajude um pouco mais. O Senhor disse que nas culturas muito evoluídas os seres também abandonaram o conceito de "nações". Por que fizeram isso?

Porque viram que um conceito como o que vocês chamariam de "nacionalismo" vai contra o seu Primeiro Princípio Orientador: SOMOS TODOS UM SÓ.

Por outro lado, o nacionalismo *está de acordo* com o nosso Segundo Princípio Orientador: o da SOBREVIVÊNCIA DOS MAIS FORTES.

Sim.

Vocês se separam em nações por motivos de sobrevivência e segurança — e produzem exatamente o oposto.

Os SMEs se recusam a constituir nações. Só acreditam em uma nação. Poder-se-ia até mesmo dizer que constituíram "uma nação, sob a direção de Deus".

Ah, isso é interessante. Mas eles têm "liberdade e justiça para todos"?

Vocês têm?

Touché!

O ponto principal é que todas as raças e espécies estão evoluindo, e a evolução — o objetivo da observação do que lhe serve e de fazer ajustes comportamentais — parece seguir um rumo, e se afastar de outro. Segue o rumo da união, e se afasta do da separação.

Isso não surpreende, porque a união é a Verdade Máxima e "evolução" é apenas outra palavra para "movimento na direção da verdade".

Eu também noto que "observar o que lhe serve, e fazer ajustes comportamentais" soa suspeitosamente parecido como "sobrevivência dos mais fortes" — um dos nossos Princípios Orientadores!

É mesmo, não é?

Então agora é hora de "observar" que a "sobrevivência dos mais fortes" (isto é, a evolução da espécie) não é conseguida, mas que de fato toda a espécie tem sido condenada — autodestruída *— chamando-se um "processo" de "princípio".*

Oops. O Senhor me confundiu.

O processo *é chamado de "evolução". O "*princípio*" que* orienta *o processo é o que determina o rumo da evolução.*

Você está certo. Evolução é *"sobrevivência dos mais fortes". Esse é o* processo. *Mas não confunda "processo" com "princípio".*

Se "evolução" e "sobrevivência dos mais fortes" são sinônimos, e se você afirma que a "sobrevivência dos mais fortes" é um Princípio

Orientador, então está dizendo que "um Princípio Orientador da Evolução é evolução".

Contudo, essa é a afirmação de uma raça que não sabe que pode decidir o rumo de sua própria evolução. *Porque a maioria das pessoas acha que "evolução" é um processo que está simplesmente "acontecendo" — não um processo que está* dirigindo, *de acordo com certos* princípios.

E então a espécie está anunciando: "Nós evoluímos *através do princípio da... bem,* evolução." *Mas nunca diz o que esse princípio É, porque confundiu o processo com o princípio.*

Por outro lado, a espécie para a qual se tornou claro que a evolução é um processo — mas um processo sobre o qual a espécie tem controle *— não confunde "processo" com "princípio", mas* escolhe *conscientemente um princípio que* usa para guiar e dirigir seu processo.

Isso é chamado de evolução consciente, *e sua espécie acabou de chegar lá.*

Puxa vida! Esse é um *insight* incrível! É *por isso* que o Senhor deu a Barbara Marx Hubbard aquele livro! Como eu já disse, ela lhe deu o título de *Conscious Evolution.*

É claro que sim. Eu lhe disse para dar.

Ah, eu adoro isso! Então... gostaria de retomar nossa "conversa" sobre os extraterrestres. Como esses seres muito evoluídos se organizam, senão em nações? Como se governam?

Eles não usam a "evolução" como seu Primeiro Princípio Orientador da Evolução, mas criaram *um princípio baseado na pura observação. Simplesmente observaram que são todos Um Só, e inventaram mecanismos políticos, sociais, econômicos e espirituais que* fortalecem, *não* enfraquecem, *esse Primeiro Princípio.*

Como isso "funciona"? Por exemplo, no governo?

Quando há Um Só, como se governar?

Quando você é o único que há, como governar seu comportamento? Quem o governa, além de si mesmo?

Ninguém. Se eu estivesse sozinho — como por exemplo, em uma ilha deserta — ninguém "além de mim" governaria ou controlaria meus comportamentos. Eu comeria, vestiria e faria exatamente o que quisesse. Provavelmente nem me vestiria. Comeria quando estivesse com fome e tivesse vontade. "Faria" as coisas que quisesse fazer e algumas delas seriam determinadas pelo que eu achasse que precisava fazer para sobreviver.

Bem, como sempre, tem toda a sabedoria dentro de você. Como Eu já lhe disse, não tem nada a aprender, só tem de lembrar.

É assim que é nas civilizações avançadas? Eles andam nus, colhendo frutos silvestres e construindo canoas? Isso me faz lembrar os bárbaros!

Quem você acha que está mais feliz — e mais perto de Deus?

Nós já passamos por isso antes.

Sim, passamos. É típico de uma cultura primitiva imaginar que a simplicidade é bárbara, e que a complexidade é muito avançada.

Curiosamente, aqueles que são muito avançados vêem as coisas exatamente do modo oposto.

Contudo, o movimento de todas as culturas, na verdade, o próprio processo de evolução — é na direção de graus cada vez mais elevados de complexidade.

Em certo sentido, sim. Entretanto, eis a maior Dicotomia Divina:

A maior complexidade é a maior simplicidade.

Quanto mais um sistema é "complexo", mais simples é seu desenho. De fato, é muito belo em sua Simplicidade.

O mestre compreende isso. É por esse motivo que um SME vive com simplicidade. Que todos os sistemas muito evoluídos também são extremamente simples. Os sistemas de governo, educação, econômicos ou religiosos dos SMEs — são extremamente simples.

Por exemplo, os sistemas de governo muito evoluídos praticamente não envolvem nenhum governo, *exceto o autogoverno.*

Como se só existisse um ser participando. Como se só existisse um ser sendo afetado.

Que é tudo que existe.

É isso que as sociedades muito evoluídas compreendem.

Exatamente.

Estou começando a entender tudo agora.

Ótimo. Não nos resta muito tempo.

O Senhor tem de ir?

Este livro está ficando muito grande.

Capítulo 15

Espere! Não pode parar agora! Eu tenho mais perguntas sobre os extraterrestres! Algum dia eles virão à Terra para nos “salvar”? Eles nos salvarão de nossa própria loucura trazendo-nos novas tecnologias para controlar as polaridades do planeta, purificar nossa atmosfera, utilizar a energia do nosso Sol, regular as nossas condições climáticas, curar todas as doenças e nos proporcionar uma qualidade de vida melhor em nosso próprio pequeno nirvana?

Vocês podem não querer que ETs venham. Os SMEs sabem disso. Sabem que essa intervenção só os subjugaria a eles — tornando-os *seus deuses — em vez de aos deuses aos quais agora afirmam estar subjugados.*

A verdade é que vocês não estão subjugados a ninguém, *e é isso que os seres das culturas muito evoluídas gostariam que entendessem. Portanto, se partilhassem com vocês algumas tecnologias, isso seria feito de um modo, e em um ritmo, que lhes permitiria reconhecer seus* próprios *poderes e potenciais, não os deles.*

De igual modo, se os SMEs partilhassem com vocês alguns ensinamentos, isso também seria feito de um modo, e em um ritmo, que lhes permitiria enxergar verdades maiores, e seus próprios *poderes e potenciais, e* não tornar seus mestres deuses.

Tarde demais. Nós já fizemos isso.

Sim, Eu percebi.

O que nos leva a um dos nossos grandes mestres, o homem chamado Jesus. Até mesmo aqueles que *não* o tornaram um deus reconheceram a grandeza de seus ensinamentos.

Ensinamentos que foram muito distorcidos.

Jesus era um desses SMEs?

Você *acha que ele era muito evoluído?*

Sim. Como Buda, Krishna, Moisés, Babaji, Sai Baba e Paramahansa Yogananda.

De fato. E muitos outros que não mencionou.

Bem, no Livro II o Senhor "insinuou" que Jesus e esses outros mestres podiam ter vindo do "espaço cósmico", ter sido visitantes aqui, partilhando conosco os ensinamentos e a sabedoria dos seres muito evoluídos. Então é hora da verdade. Jesus era um extraterrestre?

Todos vocês são extraterrestres.

O que isso quer dizer?

Vocês não são nativos do planeta que agora chamam de lar.

Não?

Não. A "matéria genética" da qual são feitos foi colocada *deliberadamente em seu planeta. Não "apareceu" aí por acaso. Os elementos que formaram sua vida não se combinaram através de um processo meramente biológico. Houve um plano envolvido. Há algo muito maior acontecendo. Você imagina que os bilhões de reações bioquímicas necessárias para produzir a vida como a conhecem em seu planeta ocorreram acidentalmente? Acha que essa vida é apenas um bom resultado de uma série de eventos fortuitos?*

Não, é claro que não. Concordo em que houve um plano. O plano de *Deus.*

Ótimo. Porque está certo. Tudo foi idéia Minha, Meu plano, e Meu processo.

E então... o Senhor está dizendo que é um extraterrestre?

Para onde vocês costumam olhar quando se imaginam falando Comigo?

Para cima. Olhamos para cima.

Por que não para baixo?

Eu não sei. Todos olham para cima — para o céu.

De onde Eu venho?

Acho que sim.

Isso Me torna um extraterrestre?

Eu não sei, torna?

E se Eu fosse um extraterrestre, isso Me tornaria menos Deus?

Com base no que a maioria de nós diz que o Senhor pode fazer, não. Acho que não.

E se Eu fosse Deus, isso Me torna menos extraterrestre?

Acho que tudo dependeria das nossas definições.

E se Eu não fosse um "homem", mas uma Força, uma "Energia" no Universo, isto é, o Universo, e Tudo Que Existe? E se Eu fosse O Coletivo?

Bem, foi isso que o Senhor *disse* que era neste diálogo.

É verdade. E você acredita nisso?

Acho que sim. Pelo menos no sentido em que acho que Deus é Tudo Que Existe.

Ótimo. Agora, você acha que o que chama de extraterrestres existe?

Quer dizer, seres do espaço cósmico?

Sim.

Sim, acho que existem. Sempre acreditei nisso, e agora que o Senhor *me disse* que existem, acredito mais ainda.

E esses "seres do espaço cósmico" são parte de "Tudo Que Existe"?

Bem, é claro que sim.

E se eu sou Tudo Que Existe, isso não Me *tornaria um* extraterrestre?

Bem, sim... segundo essa definição, o Senhor também é *eu.*

É isso aí!

Sim, mas o Senhor não respondeu à minha pergunta. Eu Lhe perguntei se Jesus era um extraterrestre. E acho que o Senhor sabe o que eu quero dizer. Ele era um ser do espaço cósmico, ou nasceu aqui na Terra?

Mais uma vez sua pergunta presume "uma coisa ou outra". Abra sua mente. *Rejeite "uma coisa ou outra" e considere "ambas".*

O Senhor está dizendo que Jesus nasceu na Terra, mas era um extraterrestre?

Quem era o pai de Jesus?

José.

Sim, mas quem O concebeu?

Algumas pessoas acreditam que essa foi uma concepção imaculada. Que a Virgem Maria foi visitada por um arcanjo. Jesus foi "concebido pelo Espírito Santo, e nascido da Virgem Maria".

Você acredita nisso?

Não sei no que acreditar.

Bem, se Maria foi visitada por um arcanjo, de onde acha que o arcanjo veio?

Do céu.

Você disse "do céu"?

Sim. De outra esfera. De Deus.

Entendo. E não acabamos de concordar em que Deus é um extraterrestre?

Não exatamente. Concordamos em que Deus é *tudo*, e como os extraterrestres são *parte* de "tudo", Deus é um extraterrestre, no mesmo sentido em que é todos nós. Tudo. O coletivo.

Ótimo. Então esse arcanjo que visitou Maria veio de outra esfera. Uma esfera celestial.

Sim.

Uma esfera bem dentro do seu Eu, porque o céu está dentro de você.

Eu não disse isso.

Bem, então uma esfera dentro do espaço interior do Universo.

Eu também não diria isso, porque não sei o que significa.

Então de onde? Uma esfera no espaço cósmico?

(Longa pausa)
Agora o Senhor está fazendo um jogo de palavras.

Eu estou fazendo o melhor que posso. Estou usando *palavras, apesar de suas grandes limitações, para chegar o mais perto possível de uma idéia, um conceito que na verdade não pode ser descrito com o vocabulário limitado da sua linguagem, ou compreendido com as limitações do seu nível de percepção atual.*

Estou tentando fazê-lo ter novas percepções usando sua linguagem de um modo novo.

Está bem. Então o Senhor está dizendo que o pai de Jesus foi um ser muito evoluído de outra esfera e que, portanto, era um ser humano, mas também um SME?

Muitos seres evoluídos já andaram em seu planeta — e muitos andam hoje.

O Senhor quer dizer que há "alienígenas entre nós"?

Posso ver que seu trabalho em jornais e em programas de entrevista no rádio e na televisão lhe serviram muito bem.

O que quer dizer?

Você consegue encontrar um modo de dizer tudo de maneira sensacionalista. Eu não chamei os seres muito evoluídos de "alienígenas" e não disse que Jesus era um "alienígena".

Não há nada de "alienígena" em Deus. Não há "alienígenas" na Terra.

Todos Nós Somos Um Só. Se Todos Nós Somos Um Só, nenhuma individualização de nós é alienígena.

Algumas individualizações — isto é, alguns seres individuais — relembram mais do que outros. O processo de relembrar (reunir-se com Deus, ou tornar-se novamente Um Só com a Totalidade, com o coletivo) é o que vocês chamam de evolução. Todos vocês são seres em evolução. Alguns são muito evoluídos. Isto é, re-lembram mais. *Sabem Quem Realmente São. Jesus sabia disso e o declarou.*

Está bem, então concluo que vamos fazer um jogo de palavras para falar sobre Jesus.

De forma alguma. Eu serei direto. O espírito do ser humano que vocês chamam de Jesus não era desse planeta. Esse espírito simplesmente encarnou em um corpo humano, permitiu-se aprender como uma criança, tornou-se um homem e se realizou. Não foi o único a fazer isso. Nenhum espírito *é "desse planeta".* Todas as almas *vêm de outra esfera e encarnam. Contudo, nem todas se realizam em uma determinada "existência". Jesus fez isso. Era um ser muito evoluído (o que alguns de vocês chamaram de Deus) e foi ao encontro de vocês com um objetivo, uma missão.*

Salvar nossas almas.

Em certo sentido, sim. Mas não da condenação eterna. Não *existe isso do modo como o imaginaram. Sua missão era — é — salvá-los de não saberem e nunca experimentarem Quem Realmente São. Sua intenção era demonstrar isso mostrando-lhes o que podiam se tornar. De fato, o que* são *— se o aceitarem.*

Jesus tentou orientar através do exemplo. Foi por esse motivo que disse: "Eu sou o caminho e a vida. Sigam-me." Ele não disse "sigam-me" no sentido de todos vocês se tornarem seus "seguidores", mas no de seguirem seu exemplo e se tornarem um só com Deus. *Ele disse: "Eu e o Pai somos Um Só, e vocês são meus irmãos." Não poderia ter falado com mais clareza.*

Então Jesus não veio de Deus, veio do espaço cósmico.

Seu erro é separar as duas coisas. Insiste em fazer uma distinção, como insiste em criar uma distinção entre os seres humanos e Deus. E Eu lhe digo que não há distinção.

Hmmm. Está bem. Antes de terminarmos, o Senhor pode me dizer mais algumas coisas sobre os extraterrestres? O que eles vestem? Como se comunicam? E, por favor, não diga que eu ainda quero saber apenas por curiosidade. Acho que já demonstrei que podemos aprender algo aqui.

Está certo. Então serei breve.

Nas culturas muito evoluídas, os seres não precisam se vestir, exceto quando querem se proteger de condições sobre as quais não têm controle, ou quando usam ornamentos para indicar uma categoria ou honra.

Um SME não entenderia por que vocês cobrem seus corpos quando não precisam fazer isso — certamente não entenderia o conceito de "vergonha" ou "pudor" — e nunca teria a idéia de usar roupas para "embelezar-se". Para ele, não há nada mais belo do que o corpo nu, e por esse motivo acharia totalmente incompreensível o conceito de usar algo sobre o corpo.

Também seria incompreensível a idéia de viver — passar a maior parte do tempo — em caixas... que vocês chamam de "prédios" e "casas". Os SMEs vivem no ambiente natural e só ficariam dentro de uma caixa se seu meio ambiente se tornasse inóspito — o que raramente acontece, já que as civilizações muito evoluídas criam, controlam e cuidam de seu meio ambiente.

Os SMEs também compreendem que são Um Só com seu meio ambiente, que partilham mais do que espaço com ele, mas também uma relação de mútua dependência. Um SME nunca entenderia por que vocês prejudicam ou destroem o que os está sustentando, e por isso só pode concluir que vocês não entendem que é seu meio ambiente que os sustenta; que vocês são seres com uma capacidade de observação muito limitada.

Quanto à comunicação, os SMEs usam como seu principal meio de comunicação o aspecto do seu ser que vocês chamam de sentimentos. Eles têm consciência dos seus sentimentos e dos sentimentos dos outros, e ninguém tenta escondê-los. *Achariam auto-sabotagem, e portanto incompreensível esconder os sentimentos e depois reclamar que ninguém entende como se sentem.*

Os sentimentos são a linguagem da alma, e os SMEs compreendem isso. Em uma sociedade de SMEs, o objetivo da comunicação é conhecer realmente um ao outro. Assim sendo, um SME nunca compreenderia o conceito humano chamado de "mentira".

Para ele, conseguir comunicar uma mentira seria uma vitória tão inútil que a consideraria uma enorme derrota.

Os SMEs não "dizem" a verdade, são a verdade. Toda a sua existência se baseia "no que é assim" e "no que funciona". Há muito aprenderam, em um tempo em que a comunicação ainda era feita através de sons guturais, que a mentira não funciona. Vocês ainda não aprenderam isso em sua sociedade.

Em seu planeta, grande parte da sociedade se baseia no segredo. Muitos de vocês acreditam que é o que não contam *aos outros, não o que* contam, *que faz a vida funcionar. Por esse motivo o segredo se tornou seu código social, seu código de ética. É realmente seu Código Secreto.*

Isso não é verdadeiro para todos vocês. Por exemplo, suas culturas antigas e seus povos indígenas não vivem de acordo com esse código. E muitos indivíduos em sua sociedade atual se recusam a ter esse comportamento.

Contudo, seu governos e negócios o têm, e muito dos seus relacionamentos o refletem. Mentir — sobre coisas grandes e pequenas — tornou-se tão aceito por tantos que eles até mesmo mentem sobre mentir. Dessa forma, vocês desenvolveram um código secreto sobre seu Código Secreto. Como quando todos sabem que o rei está nu, mas ninguém fala sobre isso. Vocês até mesmo tentam fingir que não está — e dessa forma mentem para si mesmos.

O Senhor já disse isso.

Eu estou repetindo neste diálogo os pontos principais que você tem de "entender", se realmente quiser mudar as coisas, como diz que quer.

E por isso repetirei: as diferenças entre as culturas humanas e as muito evoluídas são os seres muito evoluídos:

1. Observam cuidadosamente

2. Comunicam-se sinceramente

Eles vêem "o que funciona" e dizem "o que é assim". Essa é outra mudança pequena, mas profunda, que melhoraria muito a vida em seu planeta.

E a propósito, isso não é uma questão de moralidade. Não há "imperativos morais" em uma sociedade de SMEs, e esse seria um conceito tão estranho como o da mentira. É simplesmente uma questão do que funciona e traz benefícios.

Os SMEs não têm princípios morais?

Não como vocês os compreendem. A idéia de um grupo inventar um conjunto de valores de acordo com os quais os SMEs individuais devem viver vai contra sua compreensão "do que funciona", que é cada indivíduo ser o único árbitro do que é e não é um comportamento apropriado para ele.

A discussão é sempre em torno do que funciona *para uma sociedade de SMEs, do que produz benefícios para todos, não em torno do que os seres humanos chamariam de "certo" e "errado".*

Mas isso não é a mesma coisa? Nós simplesmente não dizemos que o que funciona é "certo", e que o que não funciona é "errado"?

Vocês ligaram a culpa e a vergonha a esses rótulos — conceitos igualmente desconhecidos pelos SMEs — e rotularam um número surpreendente de coisas como "erradas", não porque "não funcionam", mas simplesmente porque as consideram "inadequadas" — às vezes, nem mesmo a seus olhos, mas aos "olhos de Deus". Assim, criaram definições artificiais "do que funciona" e "não funciona" que não têm nada a ver com "o que realmente é assim".

Por exemplo, a sociedade humana costuma considerar "errado" expressar sinceramente os próprios sentimentos. Um SME nunca chegaria a essa conclusão, porque uma consciência exata dos sentimentos facilita a vida *em qualquer comunidade ou grupo. Portanto, como Eu disse, um SME nunca esconderia seus sentimentos, ou acharia "socialmente correto" escondê-los.*

De qualquer modo não poderia fazer isso, porque capta vibrações *de outros seres que deixam seus sentimentos muito claros. Assim como vocês às vezes "sentem o ar" quando entram em um aposento, um SME pode sentir o que outro está pensando e experimentando.*

As verdadeiras expressões vocais — que vocês chamariam de "palavras" — raramente são usadas. Essa "comunicação telepática" ocorre entre todos os seres muito evoluídos. De fato, poder-se-ia dizer que o grau em que uma espécie — ou uma relação entre membros da mesma espécie — evoluiu é demonstrado pelo grau em que os seres precisam usar "palavras" para transmitir sentimentos, desejos ou informações.

E antes que você faça a pergunta, sim, os seres humanos podem desenvolver, e alguns desenvolveram, *a mesma capacidade. De fato, há milhares de anos, isso era normal. Desde então vocês regrediram para o uso de expressões vocais — na verdade "ruídos", para se comunicar. Mas muitos de vocês estão voltando para uma forma de comunicação mais completa, exata e elegante. Isso é especialmente verdadeiro entre aqueles que se amam, o que enfatiza uma grande verdade:* o afeto cria a comunicação.

Em última análise, toda a real comunicação diz respeito à verdade. E a única verdade genuína é o amor. É por isso que, quando o amor está presente, também o está a comunicação. E quando a comunicação é difícil, isso é um sinal de que o amor não está totalmente presente.

O Senhor expressou isso de uma maneira linda. Eu diria que o *comunicou* de uma maneira linda.

Obrigado. Então vou resumir o modelo de vida em uma sociedade muito evoluída.

Os seres vivem em grupos, ou o que vocês chamariam de pequenas comunidades planejadas. Esses grupos não são organizados em cidades, estados ou nações, mas interagem uns com os outros em uma base igual.

Não há governos como vocês os imaginam, e tampouco leis. Há conselhos, ou conclaves. Geralmente de idosos. E há o que poderia ser descrito em sua linguagem como "acordos mútuos". Estes foram reduzidos a um Código Triangular: Consciência, Honestidade e Responsabilidade.

Há muito os SMEs decidiram viver dessa forma. Tomaram essa decisão não baseados em uma estrutura moral ou revelação espiritual que outro ser ou grupo apresentou, mas em uma simples observação do que é assim, *e* do que funciona.

E em suas sociedades não há guerras e/ou conflitos?

Não, principalmente porque um ser muito evoluído partilha tudo que tem e daria tudo a você, tudo que tentasse lhe tirar à força. Faria isso devido à sua consciência de que tudo pertence a todos, e de que sempre pode criar mais do que "deu", se assim o desejar.

Os conceitos de "propriedade" e "perda" não existem em uma sociedade de SMEs, que compreendem que não são seres físicos, mas seres sendo físicos. Também entendem que todos os seres provêm da mesma fonte, e que portanto Todos Nós Somos Um Só.

Eu sei que o Senhor já disse isso... mas mesmo se alguém ameaçasse tirar a vida de um SME, ainda assim não haveria conflito?

Não. Ele simplesmente deitaria e literalmente deixaria seu corpo lá para o agressor. Então criaria outro corpo, se assim o desejasse, voltando novamente ao plano físico como um ser totalmente formado, ou um filho recém-nascido de outros seres.

Esse é o método preferido de reentrada no plano físico, porque ninguém é mais honrado nas sociedades de SMEs do que os recém-nascidos, e suas oportunidades de crescimento são inigualáveis.

Os SMEs não temem o que sua cultura chama de "morte", porque sabem que vivem para sempre, e isso é apenas uma questão da forma *que irão assumir. Em geral vivem em um corpo físico indefinidamente, porque aprenderam a cuidar dele e de seu meio ambiente. Se, por algum motivo, relacionado com as leis físicas, o corpo de um SME não for mais funcional, ele simplesmente o deixará, devolvendo alegremente sua matéria física para a Totalidade para ser "reciclada". (O que vocês conhecem como "ao pó voltarás".)*

Deixe-me retroceder um pouco. Sei que o Senhor disse que não há "leis" como as conhecemos. Mas se alguém não se comportar de acordo com o "Código Triangular"? O que acontece? *É punido?*

Não. Não há "julgamentos" ou "punições", apenas uma simples observação "do que é assim" e "do que funciona".

É cuidadosamente explicado que "o que é assim" — o que o ser fez — agora está em desacordo com "o que funciona", e que quando algo não funciona para o grupo, não funciona para o indivíduo, porque o indivíduo é o grupo, e o grupo é o indivíduo. Todos os SMEs "entendem" isso desde cedo, em geral no que vocês chamariam de juventude, *e por esse motivo é extremamente raro um SME maduro agir de um modo que produz um "o que é assim" que* não *é "o que funciona".*

Mas e quando ele faz isso?

Pode simplesmente corrigir seu erro. Através do Código Triangular, primeiro é tornado consciente de todos os resultados relacionados com algo que pensou, disse ou fez, então ele pode avaliar e declarar seu papel na produção desses resultados. Depois lhe é dada uma oportunidade de assumir a responsabilidade por esses resultados, tomando medidas para corrigi-los.

E se ele se recusar a fazer isso?

Um SME nunca se recusaria a fazer isso, porque é inconcebível. Caso contrário não seria um SME, e você estaria falando de um ser totalmente diferente.

Onde um SME aprende todas essas coisas? Na escola?

Em uma sociedade de SMEs, não há um "sistema escolar", apenas um processo *de educação pelo qual os filhos são relembrados "do que é assim" e "do que funciona". Eles são criados pelos idosos, não por aqueles que os concebem, embora não sejam necessariamente separados dos "pais", que podem estar com eles sempre que quiserem durante esse processo.*

No que vocês chamariam de "escola" (na verdade, um "tempo de aprendizado") os filhos preparam seu próprio "curriculum", escolhendo as habilidades que eles *gostariam de adquirir, em vez de lhes ser* dito *o que* têm *de aprender. Dessa forma, a motivação atinge seu nível mais elevado e as habilidades da vida são adquiridas rápida, fácil e alegremente.*

O Código Triangular (que na verdade não é um conjunto de "regras" codificadas, embora esse seja o melhor termo que é possível encontrar em sua linguagem para defini-lo) não é algo que é "colocado dentro" do jovem SME, mas algo que é adquirido *— quase por osmose — através dos comportamentos* exibidos *para a "criança" pelos "adultos".*

Ao contrário do que ocorre em sua sociedade, na qual os adultos exibem comportamentos opostos *aos que querem que seus filhos aprendam, nas culturas muito evoluídas os adultos compreendem que as crianças fazem o que vêem os outros fazendo.*

Nunca ocorreria a um SME colocar seus filhos durante horas diante de um aparelho que mostra imagens de comportamentos que não gostariam que seus filhos tivessem. Para um SME, essa decisão seria incompreensível.

Seria igualmente incompreensível um SME fazer *isso, e depois negar que as imagens tinham algo a ver com o súbito comportamento extravagante dos seus filhos.*

Eu direi novamente que a diferença entre uma sociedade de SMEs e uma sociedade humana se resume a um elemento realmente muito simples, que chamaremos de verdadeira observação.

Nas sociedades de SMEs, os seres reconhecem tudo que vêem. Nas sociedades humanas, muitos negam o que vêem.

Vêem a televisão prejudicando seus filhos, e o ignoram. Vêem a violência e a "perda" usadas como "entretenimento", e negam a contradição. Observam que o tabaco faz mal para o corpo, e fingem que não faz. Vêem um pai que é alcoólatra e abusivo, e toda a família o nega, não deixando ninguém dizer uma palavra a esse respeito.

Observam que durante milhares de anos suas religiões não conseguiram mudar comportamentos, e negam isso também. Vêem claramente que seus governos fazem mais para oprimir do que para ajudar, e o ignoram.

Vêem um sistema de saúde que é realmente um sistema de doença, gastando um décimo de seus recursos na prevenção de doenças, e nove décimos tratando-as, e negam que o desejo de obter lucro *é o que impede todo progresso real no sentido de educar pessoas a respeito de como agir, comer e viver para ter boa saúde.*

Vêem que comer a carne de animais mortos depois de ser forçados a consumir alimentos impregnados de produtos químicos não faz bem para a sua saúde, e contudo negam o que vêem.

Fazem mais do que isso. Tentam processar entrevistadores que ousam discutir esses assuntos. O Senhor sabe, há um livro maravilhoso que oferece ótimos *insights* sobre esse tema da alimentação. É *Diet for a New America,* de John Robbins.

As pessoas vão ler esse livro e negar, negar, negar *que faz qualquer sentido. E esse é o ponto principal. Grande parte da sua raça vive na negação. Nega não só as observações dolorosamente óbvias de todos ao seu redor, como também as de seus próprios olhos. Negam seus sentimentos pessoais e acabam negando sua própria verdade.*

Os seres muito evoluídos — em que alguns de vocês estão se tornando — não negam nada. *Observam "o que é assim". Vêem claramente "o que funciona". Usando essas ferramentas simples, a vida se torna simples. "O Processo" é honrado.*

Sim, mas como "O Processo" funciona?

Para responder a isso Eu tenho de repetir algo que já disse — na verdade, muitas vezes — neste diálogo. Tudo depende de quem você pensa que é, e do que está tentando fazer.

Se seu objetivo é ter uma vida de paz, alegria e amor, a violência não funciona. *Isso já foi demonstrado.*

Se seu objetivo é ter uma vida longa e saudável, comer carne, fumar substâncias carcinógenas e tomar grandes quantidades de bebidas que fazem mal para os nervos e embotam o cérebro não funciona. *Isso já foi demonstrado.*

Se seu objetivo é criar filhos longe da violência e da raiva, colocá-los durante anos diante de descrições vívidas de violência e raiva não funciona. *Isso* já foi demonstrado.

Se seu objetivo é cuidar da Terra, e poupar sabiamente seus recursos, agir como se esses recursos fossem ilimitados não funciona. *Isso* já foi demonstrado.

Se seu objetivo é descobrir e cultivar um relacionamento com um Deus amoroso, de modo que a religião possa *fazer uma diferença nos assuntos humanos, então falar em um Deus vingativo* não funciona. *Isso* também já foi demonstrado.

Os objetivos são tudo, porque determinam os resultados. A vida é um resultado da sua intenção. Sua verdadeira intenção é revelada em seus atos, e seus atos são determinados por sua verdadeira intenção. Como tudo na vida (e a própria *vida), isso é um círculo.*

Os SMEs vêem *o círculo. Os humanos não.*

Os SMEs reagem ao que é assim; os humanos o ignoram.

Os SMEs sempre *dizem a verdade. Os humanos com freqüência mentem, para si mesmos e para as outras pessoas.*

Os SMEs dizem uma coisa e fazem o que dizem. Os humanos dizem uma coisa e fazem outra.

Em seu íntimo você sabe *que algo está errado — que pretendia "ir para Seattle", mas está em "San Jose". Vê as contradições em seus comportamentos, e agora está realmente pronto para mudá-los. Vê claramente o que é* assim, *e o que* funciona, *e não quer mais aceitar divisões entre os dois.*

Sua raça está despertando. *Chegou o momento da sua realização.*

Você não *precisa se sentir desencorajado pelo que Eu lhe disse, porque aqui foi lançada a base para uma nova experiência, uma realidade mais ampla, e tudo isso foi apenas uma preparação para ela. Agora você está pronto para atravessar a porta.*

Este diálogo, em particular, teve como objetivo abrir essa porta. Primeiro, apontar para ela. Está vendo? Lá está ela! *Porque a luz da verdade sempre mostrará o caminho. E a luz da verdade é o que você recebeu aqui.*

Agora aceite essa verdade e viva de acordo com ela. Partilhe-a. Sempre lhe dê valor.

Porque nesses três livros — a trilogia Conversando com Deus *— Eu falei com vocês novamente sobre* o que é assim.

Não há necessidade de ir mais longe. Não há necessidade de fazer mais perguntas, ouvir mais respostas, satisfazer mais curiosidades, dar mais exemplos ou fazer mais observações. Tudo que você precisa para criar a vida que deseja encontrará aqui, nesta trilogia, como foi apresentada até agora. Não há necessidade de ir mais longe.

Sim, você ainda tem perguntas. Sim, tem mais "mas-e-se". Sim, ainda não "acabou" com essa investigação que fizemos juntos. Porque nunca acaba com nenhuma investigação.

Então está claro que este livro poderia ir sempre mais longe. Mas não irá. Sua conversa *com Deus* irá, *mas este livro não. Porque a resposta para qualquer outra pergunta que você possa ter será encontrada aqui, nesta trilogia agora completa. Tudo que podemos fazer agora é repetir, rever repetidamente a mesma sabedoria. Até mesmo esta trilogia foi um exercício disso. Não há nada de novo aqui, apenas a sabedoria antiga revisitada.*

É bom revisitar. É bom familiarizar-se de novo. Esse é o processo de relembrar do qual falei tanto. Você não tem nada a aprender. Só tem de relembrar...

Então revisite freqüentemente esta trilogia; vire suas páginas de vez em quando.

Quando tiver uma pergunta que acha que não foi respondida aqui, releia as páginas. Você descobrirá que sua pergunta foi respondida. Contudo, se realmente achar que não foi, busque suas próprias *respostas. Tenha a sua* própria *conversa. Crie a sua* própria verdade.

E com isso experimentará Quem Realmente É.

Capítulo 16

Eu não quero que o Senhor vá!

Eu não vou a parte alguma. Estou sempre com você. Sempre.

Por favor, antes de pararmos eu gostaria de fazer umas últimas perguntas.

Você compreende, não é, que pode voltar-se para dentro *quando quiser, para o Lugar de Sabedoria Eterna, e encontrar suas respostas lá?*

Sim, e agradeço do fundo do meu coração ao Senhor por isso, por a vida ter sido criada dessa forma e por eu sempre ter esse recurso. Mas este diálogo tem sido útil para mim. Foi uma grande dádiva. Então posso fazer umas últimas perguntas?

É claro que sim.

Nosso mundo está realmente em perigo? Nossa espécie está se destruindo — em extinção?

Sim. E a menos que vocês considerem essa possibilidade muito real, não poderão evitá-la. Porque aquilo a que você resiste, persiste. Somente o que você observa pode desaparecer.

Lembre-se também do que Eu lhe disse sobre o tempo e os eventos. Todos os eventos que você poderia imaginar — de fato, imaginou — estão ocorrendo no Momento Eterno do Agora. Esse é o Instante Sagrado. O Momento que precede sua consciência. O que está acontecendo antes da Luz incidir sobre você. Esse é o momento atual, enviado para você, criado por você, antes de ao menos conhecê-lo! Você o chama de "presente". E é um "presente". A maior dádiva que Deus lhe deu.

Você pode escolher quais, de todas as experiências que já experimentou, deseja experimentar agora.

O Senhor já disse isso, e agora estou começando a entender, ainda que com minha percepção limitada. De fato, nada é "real", é?

Não. Você vive uma ilusão. Esse é um grande espetáculo de mágica. Está fingindo que não sabe os truques — embora seja o mágico.

É importante se lembrar disso, caso contrário tornará tudo muito real.

Mas o que eu olho, sinto, cheiro, toco, *parece* muito real. Se não é "realidade", o que é?

Tenha em mente que aquilo que está olhando não está realmente "vendo".

Seu cérebro não é a fonte de sua inteligência. É simplesmente um processador de dados. Obtém os dados através de receptores chamados de sentidos. Interpreta essa energia em formação de acordo com os dados anteriores sobre o objeto. *Diz a você o que* percebe, *não o que* realmente é. *Baseado nessas percepções, você* acha que sabe a verdade *sobre algo, quando não sabe metade dela. Está criando a verdade que conhece.*

Inclusive este diálogo com o Senhor.

Sim.

Eu tenho medo de que isso só confirme as opiniões das pessoas que dizem: "Ele não está falando com Deus. Está inventando tudo."

Diga-lhes gentilmente que poderiam tentar "abrir suas mentes". Elas estão pensando em termos de "uma coisa ou outra". Poderiam pensar em termos de "ambas".

Você não pode compreender Deus se está pensando baseado em seus valores atuais, seus conceitos e suas interpretações. Se quiser compreendê-Lo, deve aceitar que atualmente dispõe de dados limitados, *em vez de afirmar que sabe tudo que há para saber sobre Ele.*

Eu chamo sua atenção para as palavras de Werner Erhard, que declarou que a verdadeira clareza só pode advir quando alguém quiser admitir:

Há algo que eu não sei, e que se soubesse mudaria tudo.

É igualmente possível que você esteja "conversando com Deus" e "inventando tudo isso".

De fato, eis a maior verdade: você cria tudo.

A vida é O Processo pelo qual tudo é criado. Deus é a energia, a energia pura — que você chama de vida. Com essa consciência chegamos a uma nova verdade.

Deus é um Processo.

Eu achei que o Senhor tinha dito que Deus é um Coletivo, a Totalidade.

Eu disse. E Deus é. Também é O Processo pelo qual Tudo é criado, e Se experimenta.

Eu já lhe disse isso.

Sim. *Sim.* Quando eu estava escrevendo um pequeno livro entitulado *Re-creating Yourself.*

Sim. E agora digo aqui, para que mais pessoas o ouçam.

Deus é um Processo.

Deus não é uma pessoa, um lugar ou uma coisa. É exatamente o que você sempre pensou — mas não compreendia.

De novo?

Você sempre pensou que Deus era o Ser Supremo.

Sim.

E estava certo. Eu sou exatamente isso. UM SER. Note que "ser" não é uma coisa, é um processo.

Eu sou o Ser Supremo. *Isto é, o Supremo,* sendo.

Não sou o resultado *de um processo;* sou *O Próprio Processo. O Criador, e O Processo* pelo qual Sou criado.

Tudo que você vê no céu e na terra sou Eu, sendo criado. *O Processo de Criação nunca termina. Nunca está "completo". Esse é outro modo de dizer que tudo está sempre mudando. Nada permanece igual.* Nada *é imóvel. Tudo é energia, em movimento. Em seu escrito anterior, você chamou isso de "E-moção!"*

Você é *a* maior emoção de Deus!

Quando olha para uma coisa, não está olhando para "algo" estático que "está lá" no tempo e no espaço. Não! Está testemunhando um evento. *Porque tudo está se movendo, mudando, evoluindo.* Tudo.

Buckminster Fuller disse: "Eu pareço ser um verbo." Ele estava certo.

Deus é um evento. *Vocês chamaram esse evento de* vida. *A vida é um Processo. Esse Processo é observável, conhecível e previsível. Quanto mais você o observa, mais o conhece e pode prever.*

É difícil eu entender isso. Sempre achei que Deus era o Imutável. O Único Constante. O Movedor Imóvel. Foi nessa verdade absoluta e misteriosa sobre Deus que encontrei minha segurança.

Mas essa É a verdade! A Única verdade Imutável é que Deus está sempre mudando. Essa é a verdade — *e você* não pode fazer nada para mudá-la. *A única coisa que* nunca *muda é que tudo está sempre mudando.*

A vida é mudança. *Deus é* vida.

Portanto, Deus é mudança.

Mas eu quero acreditar que a única coisa que nunca muda é o amor de Deus por nós.

Meu amor por vocês está sempre *mudando, porque* vocês *estão sempre mudando, e eu os amo* do modo como são. *Para Eu amá-los do modo como são, Minha idéia do que é "digno de amor" deve mudar quando sua idéia a respeito de Quem São muda.*

O Senhor quer dizer que me acha digno de amor mesmo se eu decido que Sou um assassino?

Nós já vimos isso antes.

Eu sei, mas simplesmente não consigo *entender*!

Ninguém faz nada de errado, dado o seu modelo do mundo. Eu sempre o amarei — de todos os modos. *Não há um "modo" que você pode ser que Me faria não amá-lo.*

Mas o Senhor nos punirá, certo? E nos punirá por amor. Nos fará sofrer um tormento eterno, com amor e tristeza em Seu coração por ter de fazer isso.

Não. Eu nunca sinto tristeza, nunca, *porque não há* nada *que Eu "tenho de fazer". Quem Me obrigaria a isso?*

Eu nunca os punirei, embora vocês possam escolher punir-se nesta vida ou em outra, até não escolherem mais. Eu não os punirei porque não fui ofendido ou prejudicado, e vocês não podem ofender ou prejudicar nenhuma Parte de Mim, que todos vocês são.

Alguns podem escolher se sentir *ofendidos ou prejudicados, contudo quando voltarem para a esfera eterna, verão que não foram de modo algum prejudicados. Nesse momento perdoarão aqueles que imaginaram que os prejudicaram, porque terão compreendido o plano maior.*

Qual é o plano maior?

Você se lembra da parábola A Pequena Alma e o Sol *que Eu lhe ditei no Livro I?*

Sim.

Há uma continuação dessa parábola, que vou lhe ditar:

"Você pode escolher ser qualquer Parte de Deus que desejar", disse Eu para a Pequena Alma. "É Absoluta Divindade, experimentando-Se. Que Aspecto da Divindade deseja agora experimentar?"

"O Senhor quer dizer que eu tenho uma escolha?", perguntou a Pequena Alma. E Eu respondi: "Sim. Pode escolher experimentar qualquer Aspecto da Divindade em, como e através de você."

"Está bem", disse a Pequena Alma, "então escolho o Perdão. Quero experimentar meu Eu como o Aspecto de Deus chamado Perdão Total."

Bem, isso criou um pequeno desafio, como você pode imaginar.

Não havia ninguém para perdoar. *Tudo que Eu criei é Perfeição e Amor.*

"Ninguém para perdoar?", perguntou a Pequena Alma, com uma certa incredulidade.

"Ninguém", repeti. "Olhe ao seu redor. Vê almas menos perfeitas, menos maravilhosas do que você?"

Então a Pequena Alma se virou e ficou surpresa ao ver-se cercada de todas as almas do céu. Elas tinham vindo de um Reino distante, porque souberam que a Pequena Alma estava tendo uma extraordinária conversa com Deus.

"Não vejo nada menos perfeito do que eu!", exclamou a Pequena Alma. "Então, a quem devo perdoar?"

Naquele exato momento, uma alma deu um passo para a frente na multidão. "Pode me perdoar", disse aquela Alma Amigável.

"Pelo quê?", perguntou a Pequena Alma.

"Eu surgirei em sua próxima vida física e lhe farei algo para que me perdoe", respondeu a Alma Amigável.

"Mas o quê? O que você, um ser de Luz Perfeita, poderia me fazer para eu desejar perdoá-la?", quis saber a Pequena Alma.

"Ah", sorriu a Alma Amigável, "sei que poderemos pensar em alguma coisa."

"Mas por que você ia querer fazer isso?" A Pequena Alma não podia imaginar por que um ser de tanta perfeição poderia querer diminuir sua vibração a ponto de fazer algo "ruim".

"É simples", explicou a Alma Amigável, "porque a amo. Você quer se experimentar como Perdão, não é? Além disso, já fez o mesmo por mim."

"Fiz?", perguntou a Pequena Alma.

É claro que sim. Não se lembra? Temos sido Tudo, você e eu. Temos sido o Alto e o Baixo, a Esquerda e a Direita, o Aqui e o Lá, o Agora e o Então. Temos sido o Grande e o Pequeno, o Masculino e o Feminino, o Bem e o Mal. Temos sido Tudo Isso.

E concordamos *em ser tudo isso, para cada um de nós poder se experimentar como A Parte Mais Grandiosa de Deus. Porque compreendemos que...*

Na ausência do que Você Não É, Aquilo Que Você É, NÃO É.

Na ausência do 'frio', você não pode ser 'quente'. Na ausência do 'triste', você não pode ser 'alegre', sem uma coisa chamada 'mal', a experiência que chama de 'bem' não pode existir.

Se você escolhe ser uma coisa, algo ou alguém oposto a isso tem de aparecer em algum lugar do Universo *para torná-la possível."*

Então a Alma Amigável explicou que aquelas pessoas eram Anjos Especiais de Deus, e aquelas condições Dádivas de Deus.

"Eu só lhe peço uma coisa em troca", disse a Alma Amigável.

"Peça o que quiser! Qualquer coisa"*, disse em voz alta a Pequena Alma. Tinha ficado empolgada ao saber que poderia experimentar todos os Aspectos Divinos de Deus. Agora compreendia O Plano.*

"Quando eu a golpear", disse a Alma Amigável, "no momento em que lhe fizer a pior coisa que poderia imaginar — nesse exato momento... lembre-se de Quem Realmente Sou."

"Ah, eu não me esquecerei!", prometeu a Pequena Alma. "Verei você com a perfeição que vejo agora, e sempre me lembrarei de Quem É, sempre."

Essa é uma história extraordinária, uma parábola incrível!

E a promessa da Pequena Alma é a promessa que Eu lhe faço. É isso *que é imutável. Contudo, você, Minha Pequena Alma, cumpriu essa promessa feita a outras?*

Não. Sinto dizer que não.

Não se sinta triste por isso. Sinta-se feliz por saber que é verdade, e com sua decisão de viver uma nova verdade.

Porque Deus é um trabalho em andamento, como você também é. E sempre se lembre de que:

Se vocês se vissem como Deus os vê, sorririam muito.

Então agora vão e vejam um ao outro Como Quem Realmente São.

Observem. Observem. OBSERVEM.

Eu já disse que a principal diferença entre vocês e os seres muito evoluídos é que os seres muito evoluídos observam mais.

Essa é por si só uma observação maravilhosa.

E agora Eu gostaria que você observasse que também *é um evento. É humano,* sendo. *Um processo. E, em um determinado "momento", o produto de seu processo.*

Você é o Criador e a Criatura. Estou dizendo essas coisas repetidamente, nesses últimos momentos que temos juntos, para que as ouça *e compreenda.*

Esse processo que você e Eu somos é eterno. Sempre ocorreu, está ocorrendo e sempre ocorrerá. Não precisa de uma "ajuda" sua para ocorrer. Ocorre "automaticamente". E quando não há interferências, ocorre perfeitamente.

Há outra máxima que foi colocada em sua cultura por Werner Erhard — a vida se resolve no processo da própria vida.

Isso é compreendido por alguns movimentos espirituais como "se entregar a Deus". Essa é uma boa interpretação.

Se você apenas se entregar *a Deus, não interferirá no "caminho". O "caminho" é o Processo — que é a* própria vida. *É por isso que todos os mestres disseram: "Eu sou a vida e o caminho." Eles compreenderam muito bem o que Eu disse aqui.* São *a vida* e são *o caminho — o evento em andamento, O Processo.*

A sabedoria lhe pede para confiar no Processo. Isto é, confiar em Deus. *Ou, se preferir,* confiar em si mesmo, *porque Você É Deus.*

Lembre-se de que Somos Todos Um Só.

Como eu posso "confiar no processo" quando o "processo" — a *vida* — fica me trazendo coisas que eu não quero?

Goste *das coisas que ela lhe traz!*

Saiba e compreenda que você as está trazendo para seu Eu.

VEJA A PERFEIÇÃO.

Veja-a em tudo, *não só nas coisas que* considera *perfeitas. Eu lhe expliquei cuidadosamente nesta trilogia porque as coisas acontecem do modo como acontecem, e como. Você não precisa reler este material — embora possa se beneficiar relendo-o freqüentemente, até compreendê-lo muito bem.*

Por favor, forneça-me um *insight* apenas nesse pequeno ponto. Por favor. Como posso 'ver a perfeição" de algo que não experimento como perfeito?

Ninguém pode criar sua experiência de coisa alguma.

Outros seres podem co-criar as situações e os eventos exteriores da vida que vocês têm em comum, mas ninguém pode fazê-lo ter uma experiência de *ALGO que você não escolhe experimentar.*

Nisso, você é um ser Supremo. E ninguém — NINGUÉM — pode lhe dizer "como ser*".*

O mundo pode apresentar-lhe situações, mas só você pode decidir o que elas significam.

Lembre-se da verdade que Eu lhe revelei há muito tempo.

Nada importa.

Sim. Mas não sei se a entendi bem naquela época. Isso me ocorreu durante uma experiência extracorpórea que tive, em 1980. Lembro-me muito bem dela.

Do que você se lembra?

No início eu estava confuso. Como "nada poderia importar"? Onde o mundo estaria, onde *eu* estaria, se nada importasse?

Que resposta você encontrou para essa ótima pergunta?

"Percebi" que nada importava intrinsecamente, por si só, mas que eu dava significado aos eventos, e por isso os tornava importantes. Também entendi isso em um nível metafísico, tendo um *insight* do próprio Processo de Criação.

Que insight?

Eu "percebi" que tudo é energia, e que a energia se transforma em "matéria" — isto é, "coisas" e "ocorrências" físicas — de acordo com o que eu penso sobre elas. Então percebi que "nada importa" significa que nada se manifesta no plano físico exceto se assim o escolhermos. Eu me esqueci desse *insight* durante mais de dez anos, até o Senhor me fazer relembrá-lo, neste diálogo.

Tudo que Eu disse aqui você já sabia, já havia dito através de outros que lhe enviei, ou cujos ensinamentos o fiz receber. Não há nada de novo aqui, *e você não tem nada a aprender. Só tem de relembrar.*

Sua compreensão de que "nada importa" é rica e profunda, e lhe é útil.

Desculpe-me. Não posso deixar este diálogo terminar sem notar uma grande contradição.

Qual é?

O Senhor me ensinou repetidamente que o "mal" existe para termos um contexto no qual experimentar o "bem". Disse que O Que Eu Sou não pode ser experimentado se não houver O Que Eu Não Sou. Em outras palavras, não pode haver "calor" sem "frio", "alto" sem "baixo" e assim por diante.

Correto.

O Senhor até mesmo usou isso para me explicar como eu poderia ver todos os "problemas" como bênçãos, e todos que cometem atos condenáveis como anjos.

Correto de novo.

Então por que todas as descrições da vida dos seres muito evoluídos praticamente não contêm "mal"? Tudo que o Senhor descreveu é o paraíso!

Bom! Muito bom! Você realmente está refletindo sobre tudo isso.

Na verdade, foi a Nancy que me chamou atenção para esse fato. Ela estava me ouvindo ler um pouco deste material em voz alta e disse: "Acho que você precisa perguntar sobre isso antes de o diálogo terminar. Como os SMEs se experimentam como Quem Realmente São se já eliminaram tudo que era negativo em suas vidas?" Eu achei que aquela era uma boa pergunta. De fato me fez refletir. Sei que o Senhor disse que não precisávamos de mais perguntas, mas acho que precisa responder a esta.

Está bem. Uma para Nancy, então. Acontece que esta é uma das melhores perguntas do livro.

Fico surpreso por você não ter pensado nisso quando estávamos falando sobre os SMEs.

Eu pensei.

Pensou?

Somos todos Um Só, não é? Bem a *parte de mim que é Nancy* pensou nisso!

Ah, excelente*! E é claro que é* verdade.

Então qual é a Sua resposta?

Eu voltarei à Minha afirmação original.

Na ausência do que você não é, aquilo que você é, não é.

Isto é, na ausência do frio, você não pode conhecer a experiência do calor. Na ausência do alto, a idéia do "baixo" é um conceito vazio, sem significado.

Essa é uma verdade do Universo. De fato, explica por que o Universo é como é, com seu frio e calor, seus altos e baixos e, sim, seu "bem" e "mal".

Contudo, saiba que você está criando tudo isso. *Está* decidindo *o que é "frio" e "quente", o que é "alto" e "baixo". (Saia para o espaço cósmico e veja suas definições desaparecerem!). Você está* decidindo *o que é "bem" e "mal". E suas idéias sobre essas coisas mudam com o correr dos anos — de fato, até mesmo das* estações. *Em um dia de verão você acha 6º C "frio". No entanto, no meio do inverno, diria: "Puxa, que dia quente!"*

O que o universo lhe fornece é meramente um campo de experiência — *que poderia ser chamado de uma série de* fenômenos objetivos. *Você decide como* rotulá-los.

O Universo é todo um sistema desses fenômenos físicos. E o Universo é muito grande. Vasto. Enorme. De fato, infinito.

Agora eis o grande segredo: não é preciso uma condição oposta existir bem perto de você *para fornecer um campo contextual em que a realidade que escolhe pode ser experimentada.*

A distância entre os contrastes é irrelevante. Todo o Universo fornece o campo contextual em que todos os elementos contrastantes existem, e portanto todas as experiências são tornadas possíveis. Esse é o objetivo *do Universo. Essa é a sua função.*

Mas se eu nunca *experimentei* pessoalmente o "frio", apenas vejo que está "frio" em outro lugar muito distante de mim, como sei o que é "frio"?

Você já experimentou *o "frio". Experimentou* tudo. *Se não nesta vida, na anterior. Ou na antes dessa. Ou em uma das muitas outras.* Experimentou *o "frio", o "grande" e o "pequeno", o "alto" e o "baixo", o "aqui" e o "lá" e todos os elementos contrastantes que existem. E eles estão gravados em sua memória.*

Você não tem de experimentá-los de novo se não quiser. *Só precisa lembrar-se deles — saber que existem — para invocar a lei universal da relatividade.*

Todos *vocês experimentaram* tudo. *Isso vale para todos os seres do Universo, não só os humanos.*

Vocês não só experimentaram tudo, como são *tudo. A TOTALIDADE.*

Vocês são o que estão experimentando. De fato, estão causando *a experiência.*

Não sei se entendi bem.

Eu vou lhe explicar, em termos simples. O que quero que entenda é que agora está apenas se lembrando de tudo que é, e escolhendo a parte disso que prefere experimentar neste momento, nesta vida, neste planeta e nesta forma física.

Meu Deus, o Senhor faz isso parecer tão simples!

É simples. *Você separou seu Eu de Deus, da Totalidade, do coletivo, e está se tornando mais uma vez parte disso. Esse é O Processo chamado de "re-lembrar".*

Quando você re-lembra, proporciona novamente a seu Eu todas as experiências de Quem É. Esse é um ciclo. Você o repete e chama de "evolução". Diz que "evolui". De fato, faz revoluções! Como a Terra faz revoluções ao redor do Sol. Como a galáxia faz ao redor de seu centro.

Tudo faz revoluções.

O movimento da revolução é o movimento básico de toda vida. A energia vital faz revoluções. É isso que faz. *Você está fazendo uma verdadeira* revolução.

Como o Senhor consegue encontrar palavras que tornam tudo tão claro?

É você que está tornando tudo claro. Faz isso limpando seu "receptor", sintonizando-o. Está com uma nova vontade de saber. Essa nova vontade mudará tudo, para você e sua espécie. Porque com a sua nova vontade, pode se tornar um verdadeiro revolucionário — e a maior revolução espiritual do seu planeta apenas começou.

É melhor eu me apressar. Precisamos de uma nova espiritualidade, *agora*. Estamos criando muito sofrimento ao nosso redor.

Isso é porque, embora todos os seres já tenham vivido todas as experiências contrastantes, alguns não sabem disso. *Eles se esqueceram, e ainda não se lembraram totalmente delas.*

Com os seres muito evoluídos isso não acontece. Não precisam ter "negatividade" bem à sua frente, em seu próprio mundo, para saber o quanto sua civilização é "positiva". Eles são "positivamente conscientes" de Quem São sem ter de criar negatividade para prová-lo. Só observam o que não *são observando isso* em outro lugar no campo contextual.

De fato, o planeta Terra é um dos lugares para os quais os SMEs olham quando buscam um campo contrastante.

Ao fazerem isso, relembram de como era quando eles *experimentavam o que vocês agora estão experimentando, e desse modo sempre têm um ponto de referência que lhes permite saber e compreender o que* eles *estão experimentando.*

Agora você compreende por que os SMEs não precisam de "mal" ou "negatividade" em sua própria sociedade?

Sim. Mas por que nós precisamos na nossa?

Vocês NÃO PRECISAM. *É isso que Eu estou lhe dizendo em todo este diálogo.*

Realmente *têm de viver dentro de um campo contextual no qual O Que Vocês Não São existe, para experimentarem O Que São. Essa é a Lei universal, e não podem evitá-la. Contudo,* estão *vivendo em um campo assim, agora. Não têm de criar um. O campo contextual em que estão vivendo é chamado de* Universo.

Vocês não têm de criar um campo contextual menor em sua própria área.

Isso significa que vocês podem mudar a vida em seu planeta agora, e eliminar tudo que não são, *sem diminuir sua capacidade de conhecer e experimentar O Que São.*

Uau! Essa é a maior revelação do livro! Que modo maravilhoso de terminá-lo! Então eu *não* preciso criar o *oposto* para criar e experimentar a próxima versão mais grandiosa da melhor versão que já tive de Quem Sou!

Não. É o que Eu estou lhe dizendo desde o início.

Mas o Senhor não me explicou isso dessa forma!

Antes você não teria entendido.

Você não *precisa criar o oposto de Quem É e Do Que Escolhe para experimentá-lo. Só precisa observar o que já foi criado — em toda parte. Lembrar-se do que existe. Esse é o "conhecimento do fruto da Árvore do Bem e do Mal", que Eu já lhe expliquei que não era uma maldição, o pecado original, mas o que Matthew Fox chamou de* Original Blessing *(Bênção Original)* .

E para você *se lembrar de que já experimentou tudo que existe, em forma física, só precisa olhar para cima.*

O Senhor que dizer "olhar para dentro".

Não quero dizer exatamente o que disse. *OLHAR PARA CIMA. Olhar para as estrelas. Para o céu. OBSERVAR O CAMPO CONTEXTUAL.*

Eu já lhe disse que tudo que vocês precisam fazer para se tornar seres muito evoluídos é aumentar sua capacidade de observação. *Ver "o que é assim", e depois fazer "o que funciona".*

Então, olhando para outra parte no Universo, posso ver como as coisas são em outros lugares, e usar esses elementos contrastantes para compreender Quem Eu Sou aqui e agora.

Sim. Isso é chamado de "relembrar".

Bem, não exatamente. É chamado de "observar".

O que acha que está observando?

A vida em outros planetas. Em outros sistemas solares, outras galáxias. Creio que com uma tecnologia avançada é isso que podemos observar, e presumo que é isso que os SMEs observam agora, com a tecnologia de que dispõem. O Senhor mesmo disse que eles estão *nos* observando na Terra.

Mas o que é que você está realmente *observando?*

Não entendi a pergunta.

Então Eu lhe darei a resposta.
Está observando seu próprio passado.

O quê???

Quando você olha para cima, vê as estrelas — como eram há centenas, milhares e milhões de anos-luz atrás. O que está vendo não está realmente ali. *Você vê o que* estava *ali. O passado. E um passado do qual* participou.

Pode repetir isso???

Você estava lá, experimentando *aquelas coisas,* fazendo *aquelas coisas.*

Estava?

Eu não lhe disse que você teve muitas vidas?

Sim, mas... mas e se eu viajasse para um desses lugares tantos anos-luz distantes? E se realmente tivesse a capacidade de ir lá? Estar lá "agora", no próprio momento em que não consigo "ver" na Terra durante centenas de anos-luz? O que veria? Dois "eus"? O

Senhor está dizendo que eu veria meu Eu, existindo em *dois lugares ao mesmo tempo*?

É claro que sim! E descobriria o que Eu sempre lhe disse — que o tempo não existe, e que não está vendo "o passado"! Tudo está acontecendo AGORA.

Você também está vivendo "agora" vidas que no tempo terreno seria seu futuro. É a distância entre seus muitos "eus" que "lhe" permite experimentar identidades diferentes, e "momentos no tempo".

Portanto, o "passado" que você re-lembra e o futuro que veria são o "agora" que simplesmente É.

Nossa! Isso é incrível!

Sim, e também é verdadeiro em outro nível. Como Eu já lhe disse, só há Um de nós. *Então, quando você olha para as estrelas, está vendo o que chamaria de NOSSO PASSADO.*

Eu não consigo entender isso!

Espere. Há mais uma coisa que quero lhe dizer.

Você está sempre *vendo o que em seus termos definiria como o "passado", mesmo quando está olhando para o que está bem à sua frente.*

Estou?

É impossível ver O Presente. O Presente "acontece" e depois se transforma em uma explosão de luz formada pela energia se dispersando. Essa luz atinge seus receptores, seus olhos, e leva tempo para fazer isso.

Enquanto essa luz o está atingindo a vida continua, segue em frente. *O* próximo evento acontece *enquanto a luz do* último evento o está atingindo.

A explosão de energia chega aos seus olhos, e seus receptores enviam esse sinal para seu cérebro, que interpreta os dados e lhe diz o que está vendo. Contudo, isso não é o que está agora diante de você. É o que acha *que está vendo. Isto é, você está pensando no que viu, dizendo a si mesmo o que é e decidindo como vai chamá-lo, enquanto o que está acontecendo "agora" precede o seu processo, e espera por ele.*

Para dizer isso de um modo simples, Eu sempre estou um passo à sua frente.

Meu Deus, isso é *inacreditável!*

Agora preste atenção. *Quanto maior a* distância *que você coloca entre seu Eu e o local físico de qualquer evento,* mais esse evento retrocede no "passado". *Coloque-se alguns anos-luz atrás, e o que olhar parecerá ter acontecido há realmente muito, muito tempo.*

Todavia, não *aconteceu "há muito tempo". Foi apenas a* distância *física que criou a ilusão de "tempo" e lhe permitiu experimentar seu Eu como estando "aqui, agora" ao mesmo tempo que você está sendo "lá, então"!*

Um dia você verá que o que chama de tempo e espaço são a mesma coisa.

Então verá que tudo está acontecendo aqui, agora.

Isso é... incrível! Não sei o que dizer.

Quando você compreender o que Eu lhe disse, compreenderá que nada que vê é real. *Você está vendo a* imagem *do que foi um dia um evento, contudo essa imagem, essa explosão de energia é algo que está interpretando. Sua interpretação pessoal dessa imagem é chamada de imaginação.*

E você pode usar sua imaginação para criar tudo. *Porque — e eis maior segredo de todos — sua imaginação* trabalha dos dois modos.

Pode me explicar como?

Você não só interpreta *a energia, como a* cria. *A imaginação é uma função da sua mente, que é um terço do seu ser trino. Em sua mente você imagina uma coisa, que começa a assumir uma forma física. Quanto mais a imagina (e quanto mais DE vocês a imaginam), mais física essa forma se torna, até a crescente energia que você lhe deu literalmente* explodir em luz, *produzindo uma imagem de si mesma no que você chama de sua realidade.*

Então você "vê" a imagem, e mais uma vez decide o que é. *Assim, o ciclo continua. É isso que Eu chamei de O Processo.*

É isso que VOCÊ É. Esse Processo.

É isso que Deus É. Esse Processo.

É isso que Eu quis dizer quando disse que você é o Criador e a Criatura.

Agora Eu já esclareci tudo isso para você. Estamos concluindo este diálogo, e Eu lhe expliquei a mecânica do Universo, o segredo de toda a vida.

Eu estou... desconcertado. Pasmo. E desejo encontrar um modo de aplicar tudo isso à minha vida diária.

Você está *aplicando. Não pode* evitá-lo. *É* o que está acontecendo. *A única dúvida será se o aplica* consciente ou inconscientemente, *se é o efeito ou a causa. Em tudo, seja a* causa.

As crianças entendem isso muito bem. Pergunte a uma criança: "Por que você fez isso?" E ela responderá: "Por causa..."

Esse é o único motivo para fazer qualquer coisa.

Isso é surpreendente. Uma corrida surpreendente para um final surpreendente deste diálogo surpreendente.

O melhor modo de você aplicar conscientemente sua Nova Compreensão é ser a causa *da sua experiência, não o efeito. E saiba que* você não tem de criar o oposto de Quem É em seu espaço ou sua experiência pessoal *para saber e experimentar Quem Realmente É, e Quem Escolhe Ser.*

Tendo esse conhecimento, pode mudar sua vida e seu mundo.

E essa é a verdade que Eu vim partilhar com todos vocês.

Nossa! Puxa, Eu entendi. *Entendi!*

Ótimo. Agora saiba que há três informações básicas contidas em todo este diálogo. São:

1. Somos Todos Um Só

2. Há o Suficiente

3. Você Não Tem de Fazer Coisa Alguma

Se vocês decidissem que "somos todos um só", parariam de tratar uns aos outros como tratam.

Se decidissem que "há o suficiente", partilhariam tudo com todos.

Se decidissem que "não temos de fazer coisa alguma", parariam de tentar usar o "fazer" para resolver seus problemas, e em vez disso passariam para, e viriam de, *um estado de ser que faria sua experiência desses "problemas" desaparecer, e as próprias condições se dissiparem.*

Talvez essa seja a verdade mais importante de todas para você compreender neste estágio de sua evolução, e é um bom ponto para terminar este diálogo. Lembre-se disso sempre e torne-o seu mantra:

Eu não tenho de ter, fazer e ser coisa alguma, exceto exatamente o que sou agora.

Isso não significa que o "ter" e "fazer" serão eliminados de sua vida. Significa que o que você se experimenta tendo ou fazendo virá de *seu ser — não o levará* a ele.

Quando você vem da *"felicidade", faz certas coisas porque* é *feliz — ao contrário do antigo paradigma segundo o qual as fazia porque esperava que o* tornassem *feliz.*

Quando você vem da *"sabedoria", faz certas coisas porque* é *sábio, não porque está tentando ter sabedoria.*

Quando você vem do *"amor", faz certas coisas porque* é *amor, não porque quer* ter *amor.*

Tudo muda quando você vem do *"ser" em vez de tentar "ser". Você não pode "fazer" seu avanço para o "ser". Se está tentando "ser" feliz, sábio, amor — ou Deus — não pode "chegar lá" fazendo. E contudo, é verdade que* fará *coisas maravilhosas quando "chegar lá".*

Eis a Dicotomia Divina. O modo de "chegar lá" é "estar lá". Simplesmente estar *aonde escolhe* chegar! *Isso é simples.* Você não tem de fazer coisa alguma. *Quer ser feliz?* Seja *feliz. Quer ser sábio?* Seja *sábio. Quer ser amor?* Seja *amor.*

De qualquer maneira, é isso Que você É.

Meu Bem-Amado.

Ufa! O Senhor me deixou sem fôlego! Diz as coisas de um modo maravilhoso!

É a verdade que é eloqüente. A verdade tem uma beleza que faz o coração se surpreender e despertar.

Foi isso que a trilogia Conversando com Deus *fez. Tocou o coração da raça humana, e o fez despertar novamente.*

Agora essa trilogia o leva a uma pergunta crucial. É a pergunta que toda a humanidade deve se fazer. Você pode criar, e criará, uma nova história cultural? Pode inventar, e inventará, um Novo Primeiro Mito Cultural, no qual todos os outros mitos são baseados?

A raça humana é inerentemente boa, ou má?

Essa é a encruzilhada à qual chegou. A raça humana depende do caminho que seguir.

Se você e sua sociedade acreditarem que são inerentemente bons, tomarão decisões e criarão leis que afirmam a vida e são positivas. Se acreditarem que são inerentemente maus, tomarão decisões e criarão leis que negam a vida e são negativas.

As leis que afirmam a vida são leis que lhe permitem ser, fazer e ter o que quiser. As leis que negam a vida são as leis que o impedem de ser, fazer e ter o que quiser.

Aqueles que acreditam no Pecado Original, e que o homem é inerentemente mau, *dizem que Deus criou leis que o* impedem *de fazer o que quer — e criam leis humanas (um número infinito delas) que tentam fazer o mesmo.*

Aqueles que acreditam na Bênção Original, e que o homem é inerentemente bom, *dizem que Deus criou leis naturais que lhe* permitem *fazer o que quiser — e criam leis humanas que tentam fazer o mesmo.*

Qual é o seu ponto de vista em relação à raça humana e a si mesmo? Podendo fazer o que quiser, você se considera confiável? Em relação a tudo? E quanto às outras pessoas? Como as vê? Até se revelarem para você de um modo ou outro, qual é a sua suposição básica?

Agora responda a isto: suas suposições ajudam sua sociedade a sucumbir, ou se salvar?

Eu acho que sou digno de confiança. Nunca fui, mas agora sou. Eu *me tornei* digno de confiança, porque mudei minhas idéias a respeito do tipo de pessoa que sou. Agora também sei o que Deus quer, e o que não quer. Entendo o Senhor.

Esses livros *Conversando com Deus* tiveram um papel muito importante nessa mudança, tornando-a possível. E agora vejo na sociedade o que vejo em mim mesmo — não algo que está sucumbindo, mas algo que está se salvando. Vejo a cultura humana que finalmente está despertando para sua herança divina, consciente de seu propósito divino, e cada vez mais consciente de seu eu divino.

Se é isso que vê, é o que criará. Você estava perdido, mas não está mais. Estava cego, mas agora enxerga. E essa é uma grande graça divina.

Houve momentos em que você se separou de mim em seu coração, mas agora Nós estamos juntos novamente, e podemos ficar juntos para sempre. Porque o que você uniu, ninguém além de você pode separar.

Você é sempre uma parte de Deus, porque nunca esteve separado *Dele.*

Essa é a verdade do seu ser. Nós somos a Totalidade. Por isso agora você sabe toda a verdade.

Essa verdade tem sido alimento para a alma faminta. Tomai e comei. O mundo tem sede dessa alegria. Tomai e bebei. Fazei isso em memória de Mim.

Porque a verdade é o corpo, e a alegria é o sangue de Deus, que é amor.

Verdade.

Alegria.

Amor.

Essas três coisas são intercambiáveis. Uma leva à outra, e não importa em que ordem aparecem. Todas levam a Mim. Eu sou *Tudo.*

E assim Eu termino este diálogo como ele começou. Como ocorre com a própria vida, o ciclo é completado. Você recebeu aqui a dádiva da verdade. Da alegria. Do amor. As respostas para os maiores mistérios da vida. Resta apenas uma pergunta — aquela com que começamos.

A pergunta não é com quem falo, mas quem ouve?

Obrigado. Obrigado por falar com *todos* nós. Nós O ouvimos, e O ouviremos. Eu amo o Senhor. E no fim deste diálogo, *estou* repleto de verdade, alegria e amor. O Senhor me completou. Sinto minha Unicidade com Deus.

Esse lugar de Unicidade é o paraíso.

Está nele agora.

Nunca deixou de estar, porque nunca deixa de ser Um Só Comigo.

É isso que Eu queria que soubesse, que finalmente deduzisse desta conversa.

E eis a Minha mensagem, a mensagem que gostaria de deixar para o mundo:

Filhos meus, que estão no Céu, santificado seja o seu nome. Venha a vocês o seu reino. Seja feita a sua vontade, assim na Terra como no Céu.

O seu pão de cada dia Eu lhes dou hoje e suas ofensas são perdoadas assim como vocês perdoam a quem os tem ofendido.

Não se deixem cair em tentação, mas livrem-se de todo mal que criaram.

Porque seu é o Reino, o Poder e a Glória, para sempre.
Amém.

Agora vá, e mude seu mundo. Agora vá, e seja seu Eu Mais Elevado. Agora você compreende tudo que precisa compreender. Sabe tudo que precisa saber. É tudo que precisa ser.

Você nunca foi algo menos. Só não sabia disso. Não se lembrava.

Agora você se lembra. Tente Ter essa lembrança sempre com você. Tente partilhá-la com todos cujas vidas toca. Porque seu destino é ainda mais grandioso do que poderia imaginar.

Você foi para esse lugar para restaurá-lo. Foi para esse espaço para purificá-lo.

Não há outro motivo para estar aí.

E saiba que Eu o amo. Meu amor é seu, agora e para sempre.

Sempre estarei com vocês.

Sempre.

Adeus, Senhor. Obrigado por este diálogo. Obrigado, obrigado, obrigado.

E Eu agradeço a você, Minha maravilhosa criatura, por ter-Me dado novamente uma oportunidade de falar, e um lugar em seu coração, que é tudo que Nós realmente queríamos.

Estamos juntos de novo. E isso é muito bom.

Nota do Autor

Como vocês podem imaginar, esta experiência foi extraordinária para mim. A entrega desta trilogia demorou seis anos — quatro dos quais consumidos pelo último volume. Eu fiz o possível para ficar fora do caminho e deixar O Processo fazer seus milagres. Acho que na maioria das vezes consegui isso, embora reconheça que não fui um filtro perfeito. Algumas coisas que passaram por mim, sem dúvida, foram distorcidas. Portanto, seria um erro considerar este escrito — ou qualquer outro sobre assuntos espirituais — uma verdade literal. Eu não quero incentivar ninguém a fazer isso. Não tornem maior o que está aqui. Por outro lado, *não o tornem menor.*

O que está aqui é uma mensagem importante que pode mudar o mundo. Muitas vidas já foram mudadas pelos livros *CCD*. Traduzidos para 24 idiomas e nas listas dos best-sellers durante meses a fio, esses livros foram parar nas mãos de milhões de pessoas em todo o mundo. Formaram-se espontaneamente grupos de estudo de *CCD* em mais de 150 cidades, e esse número cresce a cada mês. Recebemos entre 400 e 600 cartas por mês de pessoas que se sentiram tão profundamente tocadas pelos *insights*, pela sabedoria e pelas verdades contidas nestes escritos que quiseram entrar em contato comigo pessoalmente.

Se quiser, você pode fazer ainda mais para transmitir a mensagem que recebeu. Em primeiro lugar, pode começar a ler outros escritos importantes sobre os assuntos tratados nesta trilogia.

Aceitando uma sugestão que recebi neste diálogo, pesquisei, descobri e agora recomendo entusiasticamente uma breve, porém importante lista de leitura. Eu a chamei de Os Oito Livros Que Podem Mudar o Mundo.

Eu não só os recomendo, como peço que você os leia. Por quê? Porque acredito que os habitantes da Terra estão entrando em uma era extraordinária. Nos próximos anos serão tomadas decisões que definirão seu rumo durante décadas. As escolhas que a comunidade humana tem de fazer são muitas, e as escolhas futuras serão ainda mais importantes à medida que nos restarem cada vez menos opções.

Todos nós teremos um papel na tomada dessas decisões. Elas não serão deixadas a cargo de outras pessoas. Nós *somos* as outras pessoas. As decisões das quais estou falando não podem ser — ou não serão — tomadas por uma estrutura de poder político, uma elite influente, ou grandes corporações. Serão tomadas nos corações e lares de indivíduos e famílias em todo o mundo.

O que ensinaremos a nossos filhos? Em que gastaremos nosso dinheiro? Quais de nossos sonhos, aspirações, necessidades e desejos serão nossos maiores objetivos, ou prioridades? Como trataremos nosso meio ambiente? Qual é o melhor modo de permanecer sadio, e como melhoraremos nossa alimentação? O que pediremos a nossos líderes — e o que devemos pedir? Como avaliaremos quando a vida está sendo boa? Qual será nossa medida do sucesso? Como aprenderemos a amar? O impacto de todas essas escolhas muito pessoais criará o que o cientista e autor Rupert Sheldrake chama de um “campo mórfico” — uma “ressonância” que harmoniza a vida em uma escala mundial.

Por isso é importante — na verdade, crucial — que o papel de cada indivíduo seja *consciente*. Suas escolhas não podem ser feitas a esmo. E não importa o quanto muitos acreditam que estão bem-informados (e, francamente, alguns de nós não estão), acho que se beneficiarão muito lendo esses livros, ou eu não os estaria recomendando.

Sei que há muitos títulos maravilhosos, e obviamente esta lista poderia ser muito maior. Essas são as minhas escolhas pessoais. Alguns desses livros foram escritos por pessoas que conheci, outros por pessoas que não conheci, mas todos são expressivos e importantes. Espero que você leia os Oito Livros Que Podem Mudar o Mundo:

1. *The Healing of America*, de Marianne Williamson. Um livro veemente, cheio de *insights* e soluções audaciosas que fazem qualquer um pensar seriamente a respeito de onde estamos indo e onde queremos ir, como indivíduos, uma nação e uma espécie. A obra mais recente de uma mulher com um compromisso social e uma coragem incomum, este livro clama por aqueles que buscam um mundo novo.

2. *The Last Hours of Ancient Sunlight*, de Thom Hartmann. Um livro que o chocará e despertará... e poderá até mesmo enraivecê-lo. Mas que não poderá deixar de atingi-lo. Você não conseguirá mais experimentar sua vida, e a vida neste planeta, do mesmo modo — e isso será bom para você *e* o planeta. Um “estimulante”. Fácil de ler, eloqüente e impressionante.

3. *Conscious Evolution — Awakening the Power of Our Social Potential*, de Barbara Marx Hubbard. Um documento muito

abrangente e de grande visão — veemente, arrebatador e sábio em sua descrição de onde estivemos e onde estamos indo como *homo sapiens*, que nos faz ter uma nova consciência de nossas possibilidades. Um convite inspirador para nossos "eus" mais elevados quando chegar a hora de co-criarmos o novo milênio.

4. *Reworking Success*, de Robert Theobald, que foi considerado um dos dez mais importantes e influentes futuristas do nosso tempo. Um pequeno livro com uma grande mensagem: a menos que façamos uma redefinição do que chamamos de "sucesso" em nossa cultura, a própria cultura não durará muito. Nossas velhas idéias sobre o que é "bom" para nós estão nos matando.

5. *A Visão Celestina* (Ed. Objetiva), de James Redfield. Oferece um mapa do caminho para um possível novo e maravilhoso futuro, se quisermos segui-lo. As verdades mais simples e profundas são colocadas bem diante de nós para que as usemos como ferramentas na criação de uma vida com a qual há muito sonhamos. Subitamente, o sonho pode se tornar realidade.

6. *The Politics of Meaning*, de Michael Lerner. Realista e contudo muito inspirador, este é um brado eloqüente por sanidade, compaixão e simples amor humano em nossa política, nossa economia e nosso mundo corporativo. Contém idéias surpreendentes e visões maravilhosas de como o mundo poderia ser, se realmente fizéssemos a estrutura de poder assumir suas responsabilidades — com sugestões de como poderíamos fazer isso.

7. *The Future of Love*, de Daphne Rose Kingma. Uma exploração fascinante de um novo caminho para o amor mútuo — que reconhece o poder da alma nos relacionamentos íntimos. Cheio de *insights* e ousado, esse livro se afasta da tradição e dá um grande passo na direção da possibilidade de realizar o mais profundo e verdadeiro desejo do seu ser: amar totalmente.

8. Diet for a New America, de John Robbins. Um modo de abordar um tema simples, o da alimentação, que provoca um grande impacto. É uma revelação. Os venenos que comemos, e a má qualidade de nossos nutrientes, são explorados de uma forma que mudará para sempre seu modo de pensar a respeito do que ingere. O livro desafia a suposição de que é bom consumir carne de animais mortos, e apresenta provas irrefutáveis dos benefícios econômicos e para a saúde de uma dieta vegetariana.

Todos esses livros oferecem um plano para o futuro. As semelhanças em suas articulações são surpreendentes. É difícil acreditar que esses escritores não se reuniram e concordaram a respeito do que iam dizer, e como iam dizê-lo. É claro que isso não aconteceu, por isso o que surpreende aqui é o nível de sincronicidade.

A visão desses oito autores é tão clara e emocionante, e oferece uma idéia de uma sociedade civilizada tão melhor do que a nossa que seu coração se alegra e você imediatamente quer saber o que pode fazer para ajudar a mudar as coisas. Felizmente, para todos nós, Marianne, Thom, Barbara, Robert, James, Michael, Daphne e John deram sugestões específicas sobre onde irmos a partir de agora. Todos esses livros são cheios de idéias a respeito do que *você pode fazer, agora,* para tornar as coisas melhores e mudar a longo prazo o mundo.

Agora, ao terminarmos este diálogo colocado em três livros, quero lhe agradecer. Obrigado pela chance de lhe transmitir as idéias que fluíram livremente através de mim. Sei que nem todos vocês concordaram com tudo o que foi escrito aqui. Mais uma vez, não importa. De fato, é *preferível* que seja assim. Eu não me sinto bem com nada que é engolido inteiro. E a maior mensagem de *Conversando com Deus* é que cada um de nós pode ter o seu próprio diálogo com a Divindade, ter contato com sua própria sabedoria interior, e encontrar sua própria verdade interior. É aí que está a liberdade. É aí que está a oportunidade. É aí que o objetivo máximo da vida é realizado.

Agora vocês e eu temos uma chance de nos recriar na versão mais grandiosa da melhor visão que já tivemos de Quem Realmente Somos. Temos uma chance de mudar nossas vidas, e realmente mudar o mundo.

George Bernard Shaw foi o primeiro que disse: “Há aqueles que vêem o mundo como ele é, e se perguntam, *por quê*? E aqueles que vêem o mundo como poderia ser e se perguntam, *por que não*?” Hoje, quando você e eu terminamos juntos esta jornada pela trilogia *CCD*, eu o convido a aceitar a visão mais elevada de si mesmo e do mundo, e a se perguntar, *por que não*?

Bendito seja.

Neale Donald Walsch

Índice

T

U

V

Este livro foi composto em Minion 10,5/15,2
e impresso pela Edigráfica sobre
Offset 63g para a Agir em dezembro de 2011.